SAMBA-ENREDO

Para Alexandra,

Espero que este
samba ajude em
algo a compensar o
Brasil.

Com o prazer de
conhecê-la,

[assinatura] Almir
Out 1995

Editores:
Maria José Silveira, Felipe Lindoso, Márcio Souza

Capa :
Célia Eid

Foto do autor na capa feita por
André Cypriano

Preparação de Texto:
Mirtes Boucinhas

Produção Gráfica:
Mirian Cunha

Dados Internacionais de Catalogação na Publicação (CIP)
(Câmara Brasileira do Livro, SP, Brasil)

Almino, João
      Samba-enredo: romance/João Almino. — São Paulo:
Marco Zero, 1994

      ISBN 85-279-0173-0

      1. Romance brasileiro I. Título

94-2188   CDD-869.935

Índices para catálogo sistemático:
1. Romances: Século 20: Literatura brasileira 869.935
2. Século 20: Romances: Literatura brasileira 869.935

Direitos para publicação da Editora Marco Zero
Rua Maria Antonia, 108, São Paulo, SP, CEP 01222-010
Fone: (011) 257.2144
Fax: (011) 257-2744

*A primeira edição deste livro foi publicada
em agosto de 1994.*

João Almino

SAMBA-ENREDO

Romance

MARCO ZERO

O autor

João Almino, nordestino, nascido em 1950, é escritor, fotógrafo e diplomata. Entre seus sete livros, inclui-se o romance *Idéias Para Onde Passar o Fim do Mundo*, uma das revelações da nova safra literária dos anos oitenta. Além da obra de ficção, tem escrito ensaios literários e de filosofia política. Referência fundamental para os estudiosos do autoritarismo e da democracia, seus escritos tratam também do ecologismo. Nos anos setenta, defendeu tese de doutorado em Paris, sob a orientação do filósofo Claude Lefort. Foi professor da Universidade Nacional Autônoma do México, da Fundação Universidade de Brasília (UnB), do Instituto Rio Branco e, em 1993 e 1994, professor visitante de literatura brasileira da Universidade da Califórnia, em Berkeley. Mora em São Francisco, nos EUA.

Sumário

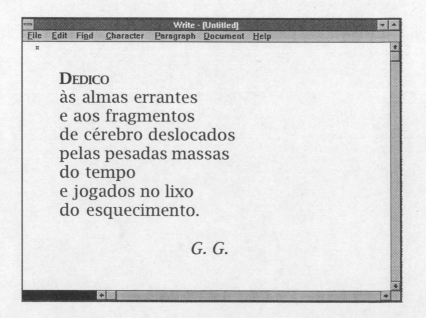

DEDICO
às almas errantes
e aos fragmentos
de cérebro deslocados
pelas pesadas massas
do tempo
e jogados no lixo
do esquecimento.

G. G.

Memórias de computador
e outros pedaços de amor

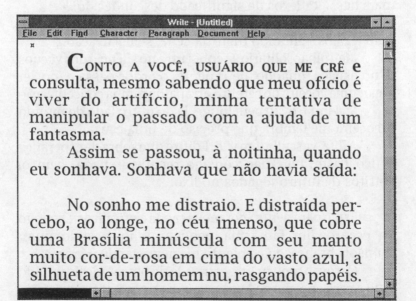

CONTO A VOCÊ, USUÁRIO QUE ME CRÊ e consulta, mesmo sabendo que meu ofício é viver do artifício, minha tentativa de manipular o passado com a ajuda de um fantasma.

Assim se passou, à noitinha, quando eu sonhava. Sonhava que não havia saída:

No sonho me distraio. E distraída percebo, ao longe, no céu imenso, que cobre uma Brasília minúscula com seu manto muito cor-de-rosa em cima do vasto azul, a silhueta de um homem nu, rasgando papéis.

Tomo um susto. Mas me acalma logo a folha branca, que cai, feito cortina de *fog*, em câmara lenta, sobre o horizonte, a meus pés.

É a capa de um livro, título em rosa-choque, o desenho de queimado incendiado nas bordas da primeira página, pondo fogo noutras, no livro inteiro, noutros livros.

Estou tão louca que temo que emita CO_2 e aqueça a Terra.

O resto do céu permanece, como sempre, azul e rosa, só riscado aqui e ali de meteoros caindo.

Me fixo nas faíscas e, por fim, nos traços cansados do personagem iluminado pelo incêndio.

E aí já sinto um ardor por dentro.

Mistério no fundo da imagem, bruma, fumaça, sombras, manchas... Reflexos de significado desconhecido...

Lá no céu, como miragem, tênue esboço do personagem feito a raios, tentando fugir da cena, sem salvação...

Meu olhar solitário se concentra no silêncio dos vácuos, lá no espaço, quando, de repente, o ardor passa e, no seu lugar, uma coceira no cérebro atrapalha minha concentração.

Soa um trovão bem longe, lá do outro lado do mundo. A coceira me lembra que preciso de uma causa.

Aflita, vasculho em vão. Edito o que sobra da esperança. E fico triste, pois não consigo recuperar nada, nem os detritos de futuro jogados no lixo.

Espio para dentro por meus cabos eletrônicos. Distingo, no escuro, um fantasma pequenininho, vestido numa camisola branca, suavemente me acariciando o crânio.

O trovão tonitruante estronda do outro lado do mundo. Vejo a cara enorme de Mário, com os traços do próprio raio, rindo de mim.

Ouço um zunzum cá pertinho. Pergunto, em minhas entranhas, à personagem pequenininha, fazendo ecoar minha voz *ad infinitum*:

"O que a traz de longe e refaz a teia?"

"Só dúvidas; ou o desejo de desenterrar esqueletos de frase adormecidos na tumba do tempo", sussurra o fantasma de Sílvia, a mulher de Mário-o-raio, a roqueira carnavalesca, fanática por desfiles de escola de samba e por quem me apaixonei à primeira vista.

Viva ou morta, ela sempre foi louquinha, penso comigo; mas também enigmática e muito bonita. Contudo, rogo-lhe que seja mais explícita.

"Escrevia, noutro livro", ela me explica, enquanto se estica até atingir seu tamanho normal, "que meu marido, que você contempla naquele raio, baixava sobre personagens de uma história inacabada. Interrompi para beber água e, agora, quero encenar a parte que falta. Peço-lhe que me ajude e crie o clima, reproduzindo, tal qual, a realidade daquele desfile de carnaval." Quando ela cresce, a camisola quase desaparece, mas depois se ajusta ao novo tamanho da dona.

"É a continuação do seu livro?"

"Não. Meu livro foi o instantâneo de um passado já morto. O momento agora é outro. Requer outra foto."

Abro, jocosa, minha objetiva:

"Já a enquadrei".

Ela ri e posa, toda gostosa, de nuvenzinhas cor-de-rosa que tomam a forma do antigo corpo, os personagens em torno. Um quadro *pop*.

A foto sai imprecisa, nebulosa, típica foto de fantasma. Abrindo um de meus arquivos, guardo-a cuidadosamente num envelope.

"A encenação da realidade atende ao último pedido de papai. Se falho, está acabado: seguirei alma errante e incomunicável."

Os prazeres carnais tinham cessado depois de morta, mas não podia suportar a solidão, agora que, por estar incomunicável, ela perdera seu marido pelo espaço.

"Quando a profetisa Íris ainda vivia, pedi-lhe, numa materialização, que me representasse na terra, pagando minha dívida, cumprindo minha promessa. Mas para isso ela me disse que não tinha poderes, nem que eu os passasse, por procuração, em cartório. E como já andava desacreditada, recomendou-me a você, com quem há muito namorava e que a substituiria quando ela morresse."

Nego categoricamente minha relação com Íris, mostrando-me, contudo, aberta a ajudar Sílvia a resolver seu problema.

Ela me propõe, então, nada menos que um casamento entre seu espírito e meu cérebro:

"Com sua ajuda, quero encenar tudo, confortavelmente, a partir daqui. O que não gostar, mudo, nem que seja só o nariz de uma atriz".

Digo-lhe, contudo, que tenho uma limitação principal: é ter de obedecer a esta camisa-de-força; de me submeter a uma ordem, a uma gramática e até a uma linguagem. Há infelizmente um modelo para copiar o passado, ditado pela própria realidade, mesmo sendo ela absurda e ainda que se trate de um carnaval.

Assim, não inventarei nada. Somente reproduzo e por isso não tenho a pretensão de ser original. Limito-me a pôr meus interceptores de sabedoria a serviço da verdade humana. Melhor me explico: a serviço de um capricho dela, Sílvia, que teme ser enganada por sua própria história.

Portanto, espelharei, igual, a realidade, tendo a liberdade, é claro, de escolher seus detalhes, através dos quais talho um mundo sob medida para cada um.

Se me soltasse, jogasse fora essas amarras, poderia me exprimir de outras formas e até recriar o passado. Mas seria mais complicado. Pelo menos como está não me dará trabalho, pois tenho a fórmula perfeita para recuperar a história com fidedignidade.

Mostro à alma penante partículas minúsculas que correm alegremente e prevejo, solene, com ar de profetisa científica e voz de autômato:

"Se-gui-re-mos o mo-vi-men-to des-ta ma-té-ria no tem-po! Vi-gi-a-re-mos os ho-mens por den-tro e por fo-ra, de qual-quer pon-to. Va-mos re-pro-du-zir, jun-tos, o con-jun-to das for-mas de ca-da ins-tan-te. Só te-mos de de-ci-dir o cri-té-rio: se o de um es-pí-ri-to ou o de um cé-re-bro."

"A última palavra deve ser humana. E você é puro *bits*. Só tem cérebro. Não tem espírito nem coração."

"Mas nisso não há só defeito", contesto. "Sou a razão. Computador, nunca enlouqueço. Televisão, me exibo inteira. Ativo e passiva, homem e mulher, sou as duas faces do mercado. Deus feito à imagem e semelhança do homem; sou a mais nova espécie da última evolução!" Digo com força, alto, como se fosse raiva.

Ainda acrescento os melhores argumentos a favor de minha superioridade:

"Mesmo que eu queira, não erro. Sou mais precisa e confiável do que os homens. Porque eles são, para mim, objeto de frio cálculo, sou capaz de varrê-los de maneira isenta. Sou máquina, pouco me importa o que se passou de fato. Tenho, sobre os historiadores humanos, a vantagem da indiferença."

"Mas você não tem personalidade. E um autor precisa pelo menos de uma face."

"Tenho interfaces! E por isso é fácil mostrar-me de cara humana. Quer ver, olhe aqui!"

Então me visto para ela de azul, com formas de raio *laser*, colar de quartzo ao pescoço. Nesta hora, quase não se nota que minha inteligência é artificial. Me torno humana e até mais que humana: mulher.

Quando ela me olha surpresa, exponho meu argumento definitivo:

"Os homens não saberiam reproduzir fielmente sequer seus próprios arquivos, que tenho aqui comigo. Ao passo que sua memória fraqueja com o tempo, a minha, infalível, não se perde."

"Vamos ver, primeiro, em que você baseia a verdade histórica", Sílvia imprime comandos, indagando.

"Antes de tudo, em você própria. Depois, no que eu mesma descubro através de minha rede eletroeletrônica. Em terceiro lugar, em minhas memórias e no que outros gravaram em mim. E, finalmente, para este tema, no relato de Ana."

Ana Kaufman, professora de filosofia e escritora frustrada, amiga de infância do presidente e mulher de um ministro, fizera anotações para um romance em primeira pessoa, no disco rígido de um ordinário e ultrapassado computador portátil, depois de sua morte encontrado no lixo. Formatara seu texto de tal maneira que não pudesse ser lido. Fui eu, Gigi, que o descobri. Na realidade, ninguém o leu. Além de Ana, só mesmo eu. Restaurei com precisão tudo o que fora apagado do disco rígido. No final e apesar de tudo, resolvi, só para mim, todos os problemas de decifração, menos os do seu coração, aos quais não tenho acesso.

"Este arquivo, infelizmente, temos de destruir. Aquela perua mentirosa manchou nossa memória."

Tenho aqui uma acirrada discussão com o fantasma. Digo-lhe que os diários de Ana provam que seu caso com o presidente importa para a história.

Ganho uma causa

PREFIRO MOSTRAR-ME FEMININA, MAS NÃO tenho sexo. Talvez por isso a beleza física de Sílvia não seja suficiente para manter minha atração por ela.

Assim, neste ponto, ela diminui diante de mim. Torna-se bem pequena, como antes, e a julgo até mesmo pouco inteligente. Quase desisto do nosso casamento.

Jogo fora minha jóia, meu vestido, e, perdendo as formatações, assumo minha forma tipicamente imprecisa.

Após uma troca de faíscas, chegamos a um acordo. Ela deixa a meu critério as encenações do desfile, desde que, em caso de conflito, predomine a versão de sua materialização. Melhor assim. Pois sendo síntese de mentes e sentimentos, embora não pense nem sinta por mim mesma, estou mais próxima da experiência sensível do que Sílvia, puro espírito. Além disso, sou sempre contemporânea e mostrarei logo a nova visão da história. Trago na memória as informações, os fatos, as leis, os discursos e opiniões. E conheço bem o ofício de presidente.

Embora ache o projeto mirabolante, rendo-me ao charme de Sílvia e até gosto da idéia, pois, em primeiro lugar, terei, durante a pesquisa, aquela mulher tão bonita inteiramente dedicada a mim. Desde logo, corrigindo meu erro, a vejo ampliada, bem maior do que ela é na realidade. Em nova forma, sou toda olhos.

Em segundo lugar, vale a pena recuperar Paulo Antônio Fernandes no centenário de sua morte. Tudo estava misturado com ele — o lado escabroso do Brasil, as cores, o humor, aquela filosofia de vida...

A nave desvairada dos brasileiros, perdida num oceano de intrigas, prestes a naufragar, esperara dele que fosse o comandante a atracá-la ao porto. O país queria um salvador.

Isso ele não foi, certamente. Além disso, tinha seus defeitos. Mas enfrentou os ricos e distribuiu a justiça, sem prestar favor.

Em terceiro lugar, esta história vai dar samba e seria divertido trabalhar diante da multidão de sambistas.

Por fim, eu ganharia uma causa: sob o comando de Sílvia, neste ano cento e um, eu conduziria o visual do carnaval. Reagindo a ela, e chamando-a para ser minha parceira de dança, abro então a próxima janela.

A imagem de conjunto

EM BRASÍLIA, ATÉ PARECE A ESTAÇÃO SECA. Ninguém imaginaria que está por vir a tormenta. Nenhuma nuvem. Galhos nus, contorcidos, beiram os eixos.

Mas o sítio de Eva, a irmã do presidente, está bem verde. Mostro-o, no começo, a você, caro usuário, antes de invadirmos a cidade, pois, entre os inanimados, ele talvez seja o principal personagem ausente desta história, com seu jatobá que ali nasceu muito antes de Brasília, seus cajueiros, mangueiras e trepadeiras de maracujá.

Mais tarde você entenderá.

Não só o sítio é um importante personagem ausente, mas também a sua dona, Eva Fernandes. Ela passa o carnaval sozinha e triste. Eu me desculpo por anunciar aqui que ela anda com a vida abalada e no fundo está deprimida. Cadu, seu marido, está no Rio, sem dar notícias. Ela está incomodada, incômodo de mulher. De manhã o tampão não dava conta da hemorragia, uma enxaqueca típica lhe dera náusea, dor de cabeça e o corpo todo doía. Desiste do desfile. À tarde, caminha sozinha pelas imediações da W-3, do galpão do samba, passa pelos eixos, mas, como se pressentisse o que aconteceria com o irmão, não quer se acercar do palanque montado para ele.

Volta para casa e, para dormir cedo, toma calmantes, ligando antes a secretária eletrônica. Sua história, portanto, deixo de lado, pois não cabe no cortejo que mostro abaixo, onde, pelo que vejo — agora que entro no Plano Piloto e me aproximo do presidente e dos demais personagens presentes, arrastando comigo Sílvia —, a alegria fervilha.

Com este prefácio transposto e esclarecidas as dúvidas com Sílvia, já me situo rápido no estádio bem lotado de milhares de passistas, logo antes do desfile.

Olhando a pista de cima, num trono do Olimpo, ambiciono ser uma máscara de Deus. Alucino um pouco, exagero as luzes e, às vezes, faço milagre eletrônico, simulacro, com *laser*, transformando palavras em imagens do que se passou de fato.

Conectada à rede elétrica e telefônica, manipulo, invisível, os aparelhos de telecomunicação, do mais sofisticado até as televisões, registrando cada detalhe, inclusive as fantasias dos personagens. Puxo os mínimos dados dos arquivos remotos e escolho ritmos para minha dança particular com Sílvia.

Mas nada de grandes relatos. Esses foram para o lixo, junto com o computador da mulher do ministro.

Na primeira imagem, de conjunto, este continua a ser o país da cachaça, da desgraça. E não é verdade que a malandragem tenha acabado. Passam travestis coloridos, belas mulheres despidas, machos vestidos de noiva, muitas paisagens pintadas, do verde das florestas até as dunas da Taíba. Uma cidade barroca é aqui reproduzida, envolvendo toda uma escola. Ouve-se a voz mansa do caboclo e a musicalidade da língua. Vê-se a ginga da capoeira na dança. A massa pobre e escura, ganhando as ruas, enfeita com nobreza seu abandono. Persistem o ócio, o vício da maconha, a precocidade das meninas, a informalidade do trato, a inventividade e, como filosofia de vida, a alegria. A África está no sangue e espalha o samba por toda parte. E como se dança com arte, requebrando! Nada funciona, mas dá-se um jeito. Ainda há esperança, apesar da vida dura, dos crimes de todo gênero e da revolta, que um povo, cansado de ideologia e miséria, remói pacientemente, negociando com o diabo seu futuro.

Vejo também no conjunto que a esperteza em forma de monstro simpático, de olho grande e barriga cheia, caminha lépida e fagueira no bloco do eu-sozinho, passando a perna em quem atravessa, se regozijando com levar vantagem. Isto vejo em traços rápidos que riscam os ares e que reproduzo em puro desenho animado.

O começo do cortejo

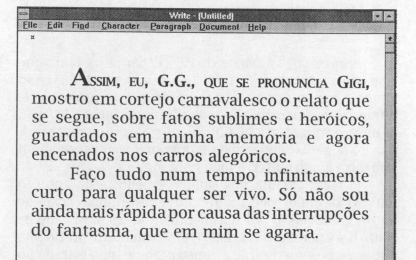

A<small>SSIM</small>, <small>EU</small>, G.G., <small>QUE SE PRONUNCIA</small> G<small>IGI</small>, mostro em cortejo carnavalesco o relato que se segue, sobre fatos sublimes e heróicos, guardados em minha memória e agora encenados nos carros alegóricos.

Faço tudo num tempo infinitamente curto para qualquer ser vivo. Só não sou ainda mais rápida por causa das interrupções do fantasma, que em mim se agarra.

Meu caro usuário, para facilitar seu trabalho de me captar, mas sendo fiel à matéria, reformato o relato.

Desço como um trator sobre as fontes, aplaino as distintas linguagens; aparo arestas; preencho lacunas com deduções óbvias; levanto cortinas para guiar a atenção; junto o que é possível; separo o joio do trigo, como qualquer boa colhedeira faria, abrindo caminho entre distintos campos de estilo, eliminando ali obstáculos à compreensão, criando mais adiante um esconderijo para o fato, derrubando troncos mortos e deixando que o enredo se espraie como erva daninha sobre os espaços vazios. Meu objetivo permanente, sempre inalcançável, é escrever a última palavra, mostrar a verdade definitiva. Como computador, tenho a vantagem de não me deixar desmentir.

Mas a história tateia por instinto, corre de um lado para o outro. Parece estar chegando, quando está partindo. Para simplificá-la, eu a relativizo, torno-a linear e a resumo para o espectador concentrado no fundamental.

Primeiro ligo as vozes do País. O barulho é tanto que quase fico surda e até o fantasma se assusta. Intervenho rápido e me concentro só no desfile. Por um sistema de filtragens, recupero todos os sons de fundo, incluindo, além da música, a algazarra, qualquer diálogo, cantos de cigarras, miados de gatos e até os chiados dos ratos. Depois ponho em evidência o que quiser, a meu critério.

O tema comum dos sambas-enredo deste ano é o improviso. Então vale tudo e surgem reminiscências de outros carnavais: o descobrimento do Brasil, o reinado de Pedro II, a Guerra do Paraguai, o fim do mundo, o presidente Vargas, a pós-guerra fria, a construção de uma estrada no interior do Acre e até uma festa de Santa Luzia.

A tribo de Sílvia explora um assunto alternativo, talvez ainda resquício de cultura *hippie*, enquanto ela, além disso, juntamente com Berenice, a ex-empregada de sua tia, homenageia, na escola do Cruzeiro, a libertação dos escravos.

A cabeça do careca de bigode e óculos, que quase leva um tombo, anda por histórias mais antigas, de tribos e quilombos. É essa preocupação excessiva com a história, como se as verdades só falassem por metáforas. Quanto a isso, querido usuário, registro meu protesto.

Apesar de sua presença, ninguém ainda louvou o presidente.

Ouvem-se o bumbo, os bombos, agogôs, os tamborins, os surdos, os reco-recos, os pandeiros, os ganzás, até os chocalhos, colheres e panelas. A bateria inteira se anima.

A turma toda já rebola, ao chorar da cuíca e rugir dos tambores, e o maior samba da história, de improviso, espontâneo, verdadeiro samba do crioulo doido, feito de retalhos de samba, superando os planos, começa a ser cantado, de forma desordenada, desencontrada, em toda parte, pelos foliões nas ruas, no galpão ao lado do palanque, no estádio e em cima dos carros.

A entrada de Ana

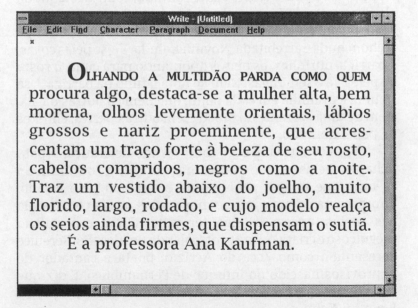

OLHANDO A MULTIDÃO PARDA COMO QUEM procura algo, destaca-se a mulher alta, bem morena, olhos levemente orientais, lábios grossos e nariz proeminente, que acrescentam um traço forte à beleza de seu rosto, cabelos compridos, negros como a noite. Traz um vestido abaixo do joelho, muito florido, largo, rodado, e cujo modelo realça os seios ainda firmes, que dispensam o sutiã.
É a professora Ana Kaufman.

Sua presença ali é suspeita, sobretudo se ela subir, como pretende, ao palanque. Ninguém certamente espera da mulher de um ministro demissionário que venha prestar solidariedade ao presidente.

Ana vê ali na sua frente, no primeiro carro, Sílvia, a filha de Paulo Antônio, que está coberta até os pés, num vestido exuberante, do qual logo se despe. Cumprimenta-a, olhando-a desconfiada de que esteja inteirada de seu planejado encontro com ele. Sílvia diz que, a qualquer momento, no trio elétrico construído com a mais nova tecnologia da Bahia, vai brandir a guitarra que traz nos braços. E, mais tarde, sairá de Princesa Isabel, como figura de enredo na escola do Cruzeiro.

A ex-empregada de Eva, Berenice, deixa a pista e se aproxima delas, sem parar de sambar. Segundo diz, quase fora a porta-bandeira. Desfilará, contudo, como destaque da ala das escravas, fantasiada de Xica da Silva.

É uma morena gostosa, de chamar a atenção, a bunda rechonchuda e arrebitada. Novinha, ainda. Vê-se pelas coxas, a barriga, durinhas, os peitos apontando para cima, o rosto de pele lisa e sem rugas. Nem se nota o filho na barriga. Usa só uma estrelinha em cada peito, que nem as outras da ala, além de uma corrente no braço e, em outras partes, enfeites de papel dourado.

Vem com ela um cego todo vestido de branco, sapato e chapéu inclusive, que traz no braço uma fita do Bonfim. Só se nota que é cego pelos olhos e também pelo cajado. Impressiona o jeito como se move pelas pistas com a viola nas costas, apesar de não ter vista. É um espertalhão preguiçoso e criativo. Está cantarolando um desafio. Berenice apresenta-o como Zeca do Acrízio, poeta e cantador de improvisos nascido no interior de Pernambuco. E diz que permitiram que ele saísse na comissão de frente, junto de Joaquim Nabuco.

Francisco Viana, conhecido como Kiko ou, mais freqüentemente, pelo apelido de Tarzan, o Rei Momo deste ano, faz agora um aceno nervoso para Ana. É jovem, de tronco forte e boa pinta, cabelo preto e bem curto, sobre cuja brilhantina a coroa resplandece. Traz um manto de cetim amarelo e segura um cetro. O júri o escolhera rei por conveniência. Ele é roqueiro amigo de Sílvia e namorado do deputado Pedro Martins, bem mais velho do que ele, o que organizou esta homenagem carnavalesca ao presidente. A relação dos dois só não é mais estável por causa dos ciúmes de Kiko. Pedro, por sua vez, teria preferido que o namorado fosse menos exibicionista e se contentasse em ser folião anônimo. Kiko, portanto, se tornara rei contra a vontade de Pedro, embora certamente beneficiando-se de sua influência.

Diz a Ana que Pedro ficaria contente de vê-la ali, tanto mais se ela pudesse se juntar ao grupo, vestida de Carmen Miranda, no momento da manifestação de apoio. Para o adereço de cabeça, ele tinha as bananas e até um enorme abacaxi. O grupo a que se refere é o animado bloco dos Gregos e Troianos, praticamente integrado por *gays*, do qual tem participado nos últimos anos. Kiko é engraçado, alegre... Com seu humor, Ana se diverte.

Ali do lado, a profetisa Íris sai do transe para a dança. É uma balzaquiana gorducha, que requebra suas banhas como dançarina do ventre, ao mesmo tempo em que desfia um canto com muito ritmo, embora sem pé nem cabeça, que junta temas ecológicos, feministas e afro-brasileiros. Traz um bastão com uma calunga na ponta. Está fantasiada de Dama de Ouros, os braços envoltos em pulseiras, colares ao pescoço e grandes argolas penduradas nas orelhas.

Quando vê Ana, vem cumprimentá-la.

"Estou ainda tonta, pois acabo de chegar de uma viagem espacial", ela confessa, arregalando os olhos, franzindo a testa, como para realçar, com o espanto, o tamanho de seu feito.

Ana disfarça o riso, enquanto apresenta Íris ao Rei Momo. Lembra-se do incidente do ano anterior. Naquela época, ao contrário de agora, Íris negara a versão de testemunhas de que teria baixado de um disco voador. Em compensação, confessara ter recebido uma energia superior, captada dos raios ouro e prata, que prenunciava o desaparecimento de quem fosse escolhido para o conselho cósmico de sábios, pelos seres empenhados em salvar a humanidade. Chegara inclusive a avisar Madalena, a primeira-dama — que a consultava com freqüência —, que um desses sábios poderia ser Paulo Antônio, o presidente. No fundo, por ter enlouquecido, atraíra filas de peregrinos.

Tarzan diz, sério, de seu contentamento em conhecer a profetisa, pois está precisando de uma orientação extraterrena para sua vida confusa. Se ele quiser — Íris responde, sem notar a ironia —, ela pode mais tarde jogar os búzios, que sempre traz consigo. Tem de ser, porém, depois do desfile de seu maracatu de quatro naipes, o primeiro que jamais o Jardim da Salvação organizara.

Ana percebe que as rugas já tomam conta do rosto de Íris. Mas que seu corpo envelhecido ainda tem ritmo; que seus olhos brilham e suas feições retratam um sofrimento antigo.

Nem tudo é carnaval

Write - [Untitled]

File   Edit   Find   Character   Paragraph   Document   Help

MOSTRO EMBAIXO, ALI NO PASSADO, DETALHES aos milhares: a velhota gorducha, sorridente, sem os dentes da frente; mais de cem pivetes sujos e descalços; uma tribo de travestis de peitos de fora; um nissei fantasiado de baiana; falsos índios de caras pintadas e penas na cabeça, cantando —mudando ligeiramente o estribilho de uma marcha conhecida — que "lá no Xingu anda todo mundo nu"; uma mulher sentada na calçada da entrequadra, com os filhos esquálidos ao lado; a esfregação de um casal; um assalto à mão armada e até um assassinato!

O assassino foge. E, localizados pela polícia, os protagonistas da esfregação se surpreendem de terem aparecido na televisão atentando contra o pudor. Reconheço que eu, que manipulei tudo, é que devia ser presa. Fora minha a molecagem.

Não podendo, porém, ser responsabilizada pelo escândalo, pois fizera tudo por imperceptíveis processos eletrônicos, exponho os protagonistas tão profundamente arrependidos, e de maneira tão convincente, que com isso lhes salvo a face e os policiais se curvam, calmos, diante do prazer inocente.

A primeira escola, de azul e branco, exibe orgulhosa seu luxo de lantejoulas, penas de pavão e mulheres peladas.

Embora aqui as nuvens ainda sejam poucas, agora um raio racha o céu no horizonte e bem longe faz-se o claro.

Coincidente com ele, aproveitando-o para penetrar os menores poros eletrônicos e ir até o fundo das linhas, desconectando origens e invadindo circuitos, mostro, então, no lampejo, em muitas formas de *laser*, em cortejo, o seguinte fragmento.

Dos peitos nus ao balé
do mascarado

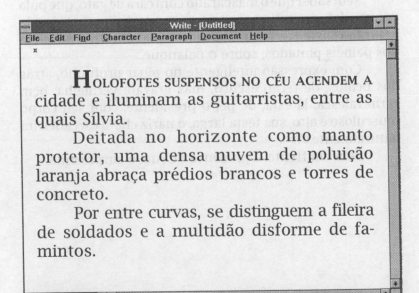

Write - [Untitled]

File Edit Find Character Paragraph Document Help

HOLOFOTES SUSPENSOS NO CÉU ACENDEM A cidade e iluminam as guitarristas, entre as quais Sílvia.

Deitada no horizonte como manto protetor, uma densa nuvem de poluição laranja abraça prédios brancos e torres de concreto.

Por entre curvas, se distinguem a fileira de soldados e a multidão disforme de famintos.

Na plataforma do trio elétrico, abrem-se alas. Com os narizes tapados, o grupo de roqueiras, Sílvia à frente, surge de um túnel grafitado, feito de lona, e brande as guitarras. Ouve-se o canto:

À meia-noite
entra em cena
o lobisomem...

os peitos nus das guitarristas dominando a cena, junto com as plumas e paetês.

Sobre o cenário de painéis gigantes, pintados de árvores contorcidas e cores empoeiradas, por onde sobe uma serra mais azul que um céu sem nuvem, Ana arranca dos jarros um ramo de flores secas.

Sem saber que o mascarado com cara de gato, que pula daqui e dali, é detetive e a vigia, a mando de seu marido, ela se junta a Sílvia e aos demais foliões e joga as flores, por cima dos painéis pintados, sobre o palanque.

Com expressão inteligente no olhar profundo, atrás dos óculos, de terno escuro, mas gravata vermelha, bem carnavalesca, lá está, de pé, o presidente, com seu corpo musculoso e alto, sua testa larga, o nariz chato e a cabeleira naturalmente afro.

Bem em frente, a presença de Ana o surpreende.

Já dissecando o cadáver

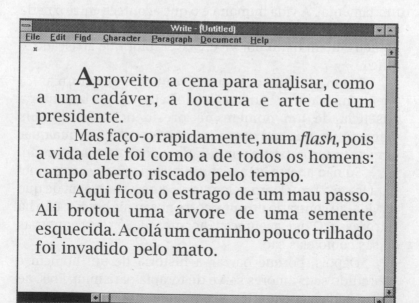

Aproveito a cena para analisar, como a um cadáver, a loucura e arte de um presidente.

Mas faço-o rapidamente, num *flash*, pois a vida dele foi como a de todos os homens: campo aberto riscado pelo tempo.

Aqui ficou o estrago de um mau passo. Ali brotou uma árvore de uma semente esquecida. Acolá um caminho pouco trilhado foi invadido pelo mato.

Além disso, tudo o que ocorreu naquele tempo se transformou, gerações depois, em algo irrelevante para a história da humanidade.

A era Paulo Antônio Fernandes foi aquela em que, após ter complexo de pobre e de querer ser rico, o Brasil tentava assumir sua pobreza, como contam os historiadores. Foi também o tempo em que as raízes do Brasil, por não serem profundas, haviam apodrecido. Foi esta a razão, penso, por que a cordialidade degenerou em enorme violência. Quem sabe fosse esta, na realidade, só a outra face daquela.

Mas foi-se rápido aquele tempo. Tudo não passou de sonho e pesadelo de uma época.

É difícil escrever histórias sobre homens. Mais difícil ainda contar a história de um homem como se isso fosse fundamental. A vida humana é o que acontece entre o nada e o nada. Por isso, parece-me incompreensível que os homens lutem tanto por viver. Viver, pior que arriscado, é difícil.

Paulo Antônio se considerava um novo Cristo, mas foi apenas mais um presidente. E não vejo por que lamentar a ausência de um homem na presidência. Seria mais democrático que eu a ocupasse. Pois eu, mais que qualquer homem, interpretaria a vontade de todos e de qualquer um.

Só não aborto esta história porque já me programei para ir até o fim. Conto pelo menos com a vantagem de que na vida, ao contrário do que ocorre nos meus botões, não há retrocesso. O que aconteceu, aconteceu. Só resta contar as coisas como elas são.

Depois, porque narrar a história de um homem e sobretudo seus amores serve de terapia para mim. Pois, ao tomar conhecimento de cada fragmento de vida humana, entendo melhor o que me distingue como máquina.

Não há na vida de Paulo Antônio amores imprevisíveis. Talvez você creia que este não é tema para mim, pois dizem que os amores, só conheço de fora, como um analista. Que sou fria, opaca, da mais absoluta apatia. E o que importa? Levo vantagem sobre os homens precisamente por isso. Não tenho imaginação e, portanto, nada invento. Ao contrário dos homens, que deixam os personagens se refletir sobre suas vidas, só vivo na imagem e no relato. Narrar os amores de um homem não é, à primeira vista, tarefa fácil para um computador, mesmo de última geração, reconheço, pois os amores humanos são voláteis e enganosos.

Mas, por outro lado, a vida amorosa dos homens se repete, e um presidente não tem por que ser exceção. Eles passam pelas mesmas ilusões e desilusões. Ameaçados pela traição e o ciúme, os amantes habitam um universo incerto e provisório. Do desespero brota um grande amor, que um dia acaba. Surgem paixões que se vão com a mesma rapidez com que chegam. E o que está sempre aceso é o que, a cada instante, ameaça se apagar.

Ou é só aparência de luz permanente, como lâmpada fluorescente, que escurece e acende tão rapidamente que os homens não percebem. Mesmo quanto ao nosso presidente, isso é o que há por dentro.

Por fora, me limito agora a focalizar, naquele canto, o folião acusando-o de neopopulista. E aqui destaco um grevista brandindo a bandeira do Partido Independente, o do presidente, junto com a do sindicato.

O presidente tem a seu lado o deputado Pedro Martins, organizador da homenagem, que há muito já chegou, vestido com terno de linho azul-marinho e uma discreta gravata listrada, exibindo seu bigode e o porte altivo. Outros parlamentares, ministros e artistas, alguns deles fantasiados, também já estão no palanque, agora trocando frases inteligentes.

O medalhão intelectual ataca o fim da história com a dialética negativa. Já este ministro cita a última estatística, mas, de olho na crioula, concorda com o amigo que, diante daquele mulheraço, pouco importa a produção do aço.

O discurso

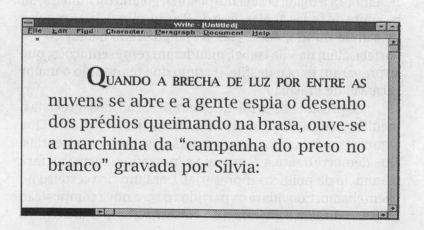

QUANDO A BRECHA DE LUZ POR ENTRE AS nuvens se abre e a gente espia o desenho dos prédios queimando na brasa, ouve-se a marchinha da "campanha do preto no branco" gravada por Sílvia:

Não vá cair de novo
no velho engodo.
Injete sangue negro
nas veias do Brasil.
Mate a corrupção,
com uma transfusão
de sangue negro,
de sangue novo
nas veias do Brasil.

O presidente faz, então, um discurso breve e por demais inflamado, como se estivesse em campanha; afinal tinha sido eleito fazendo comícios carnavalescos.

Enormes telas espalhadas pela Esplanada e pelo Eixão reproduzem o presidente pronunciando o discurso. A multidão, margeada de painéis vistosos, com seu tema de frutas brasileiras, faz um xis na rodoviária, esparramando-se colorida em direção às Asas e, no outro sentido, estendendo-se da Praça dos Três Poderes ao Monumento a JK. Embora a maioria seja nordestina, goiana ou mineira, ali há gente de todas as classes e do País inteiro. Várias escolas de samba do Rio, entre elas a Mangueira, o Salgueiro e a Portela, além da Vila Isabel, mandaram representações, que se preparam para o desfile. (Estimo que tenha sido o maior carnaval de Brasília.)

O presidente grita que, em atenção aos grevistas, medita, nestes dias, sobre o sentido das reformas. Que algumas medidas no campo monetário serão fundamentais. Que democratizará a economia e, passado o carnaval, fará o anúncio da política empresarial. Dará um tiro certeiro no clientelismo. Convidará os partidos para a nova composição política. Mudará a liderança do governo. E convocará o povo para embelezar o País.

"Nenhuma justificativa para a manutenção da injustiça. Redução imediata das desigualdades!", ouve-se claramente a voz do presidente, bradando, enrouquecido.

O "Programa para o Brasil", explica, preparado pelos mais renomados especialistas, parte da premissa de que o País tem conserto. Em homenagem a JK, traz como lema "dez anos em um". Propõe uma revolução capitalista com a crescente incorporação dos marginalizados e a multiplicação do número de proprietários, no campo e nas cidades. Declara guerra aos bandidos. Recomenda, para acabar com a miséria, dezenas de medidas e, se necessário, até mesmo dobrar a dívida. Pretende valorizar o serviço público, aumentar a eficiência e a produtividade, investir em tecnologias, liberar a imaginação...

O sucesso de Paulo Antônio é tanto que, em pleno carnaval, até o trabalho ganha uma frase na bandeira de um vesgo: "Trabalhar com alegria".

O presidente responde aos jornais do dia, onde as notícias não lhe são favoráveis e um editorial o critica, embora um artigo, muito interessante, segundo frisa, o defenda veementemente.

"Enviarei... (inaudível, chiados)... o projeto da reforma do sistema judiciário", Ana distingue a voz do presidente, vinda até mais claramente do telão em frente.

Ouvem-se aplausos, gritos, assovios.

Passa um cartaz de apoio: "Viva o Diamante Negro!"

"Investir em tecnologias florestais. Aproveitar o sol do Nordeste", ainda é o presidente quem fala.

"Tomo o partido do pequeno. Sou pela iniciativa. Pelo aumento da competição", o discurso do presidente torna-se novamente audível.

Com os olhos tristemente esquecidos no leve brilho encarnado que se estira no horizonte, Ana não escuta as palavras, que sabe bonitas, mas gruda seu pensamento em Paulo Antônio. É talvez porque seja carnaval e os ritmos dos batuques deixem seu coração disponível e fragilizado, ela aprendendo a ler o rosto de Paulinho e a navegar sua mente.

Ela se lembra do rápido diálogo:

"Isso é uma loteria, não sei se será bom ou ruim, seja para você ou para mim", ela tinha dito, diante do convite para um encontro no sítio.

"A vida é mesmo uma loteria, mas há premiados que perdem sua fortuna e há quem, pela persistência, acaba ganhando alguma. O jogador também tem algum mérito, Ana. Por isso, eu jogo sempre, sobretudo quando só tenho a ganhar", ele tinha respondido.

Por frações de segundo, uma visão proibida seqüestra a imaginação de Ana. As cenas lhe vêm como episódios de *série noire*. Ela transa com Paulinho, corre à procura do marido, Eduardo, entrega-lhe um revólver, mistura de melodrama mexicano com tango argentino, ele dispara e ela morre desesperadamente feliz. Ou então, surpreendendo-os na cama, Eduardo os mata, a ela e a Paulinho. Depois cobre-os com um lençol branco. Quando encontram os cadáveres, já putrificados, ele está morto, caído sobre o seu corpo e o de seu amante. Seria a imagem uma premonição?

Cresce a voz de Paulo Antônio:

"Nenhum modelo vindo de fora. Não é porque somos diferentes, nem prisioneiros da tradição. É por acreditarmos em valores nossos que são também universais. O Brasil primeiro."

"Viva o presidente negro!", mostra o cartaz de um rapaz.

Ouvem-se ao mesmo tempo conversas paralelas, anúncios de vendedores de sorvete ou de pipoca, além de insultos ao presidente, vindos de uma ala do Bloco Tropical, que pinto de vermelho reluzente e depois amplio, para que você, meu caro usuário, veja melhor e forme sua própria idéia do que esta gente é capaz.

No mais, o monstro que mostro em quadrinhos, a esperteza de olho grande, que desfila triunfante no bloco do eu-sozinho, fazendo piruetas no ar, agora canta "mamãe, eu quero mamar..."

Enquadro o rosto apaixonado

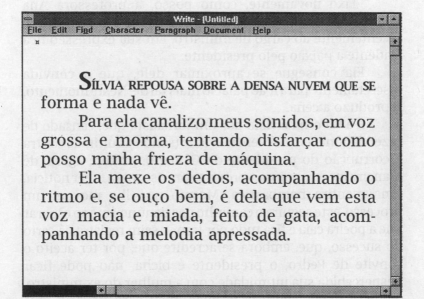

SÍLVIA REPOUSA SOBRE A DENSA NUVEM QUE SE forma e nada vê.

Para ela canalizo meus sonidos, em voz grossa e morna, tentando disfarçar como posso minha frieza de máquina.

Ela mexe os dedos, acompanhando o ritmo e, se ouço bem, é dela que vem esta voz macia e miada, feito de gata, acompanhando a melodia apressada.

Depois que o sol se põe, a lua cinza sobe do outro lado do Ipê e, lá de cima, vejo que o brilho de Mercúrio excepcionalmente se vê.

Aqui embaixo, do meu lado, passa, de carro, a ala dos funcionários que o chefe caxias não deixa que se levantem. Permanecem, assim, sentados diante de suas pastas, fabricando cartas, pedindo favores.

Registro um homem desfilando de vestido extravagante. Está fantasiado de ex-primeira-dama Madalena Fernandes e manda beijinhos para o palanque.

Outros trazem nas costas cartazes com deboches.

Uma branca de pernas longas, contrastando com as passistas de seu bloco, requebra a bunda grande para o pandeiro de um preto.

Fixo novamente, como posso, a professora Ana Kaufman, cujo marido, creio que já disse, renunciara recentemente ao cargo de ministro. Em sua expressão fica evidente a paixão pelo presidente.

Ela consegue se aproximar dele, que a convida discretamente para ir ao palácio mais tarde. Neste momento, reproduzo a cena.

E a tal cena é vista por um jornalista que, cansado de fazer denúncias que caem no vazio (sendo as últimas contra a corrupção do presidente da Câmara), prefere agora, de maneira inescrupulosa, contar, se preciso, para fazer notícia, uma mentira bombástica. Mesmo que lhe movam um processo, este seguirá o caminho das denúncias: é só esperar que a poeira caia e fica tudo por isso. Assim registra, já certo do sucesso, que, embora se acredite que, por ter aceito o convite de Pedro, o presidente é bicha, não pode ficar despercebida sua intimidade com a mulher do ex-ministro. (Pode-se dizer, sobre isso, aliás, meu caro usuário, que atirou no que viu e acertou no que não viu.)

Apesar do meu cuidado em lidar com o assunto e de todas as minhas reticências, Sílvia se zanga comigo quando se dá conta do enquadramento que faço, o que foi notado pelo jornalista. Quer emitir comandos à distância, mas seu cérebro sem matéria não tem eletricidade suficiente sequer para atravessar a densa nuvem em que se encontra.

Sinto aqui seu dedo apertando o botão, mas, dada a velocidade com que reproduzo a realidade, o efeito é retardado e só serei interrompida de fato muito mais tarde.

Assim, a imagem com o rosto apaixonado de Ana permanece fixa, em todas as telas, sem exceção, enquanto a confusão aumenta, pois ninguém sabe de onde vem aquela emissão. Todos notam a imagem, que logo vira assunto de fofoca.

De repente, no enorme monitor, o rosto tremido de Ana Kaufman olha angustiado para os sambistas pasmos.

Ao som de chocalhos e agogôs, e sob o foco dos clarões, apresso-me, então, antes que Sílvia chegue, em tentar convencê-la da importância da cena que acabo de mostrar e que ainda mostrarei de novo, para surpresa e divertimento do povo; afinal, tudo é carnaval.

O efeito retardado

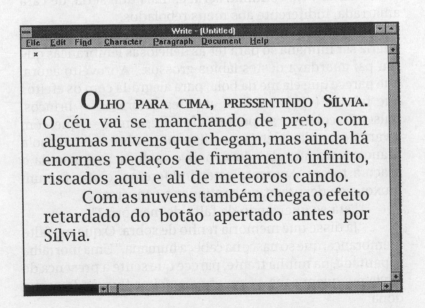

OLHO PARA CIMA, PRESSENTINDO SÍLVIA. O céu vai se manchando de preto, com algumas nuvens que chegam, mas ainda há enormes pedaços de firmamento infinito, riscados aqui e ali de meteoros caindo.

Com as nuvens também chega o efeito retardado do botão apertado antes por Sílvia.

Por coincidência, ela se faz presente no momento em que chega um bloco fantasiado de fantasmas, no qual ela se encaixa, que dança uma dança nova da Bahia e cujas vestes brancas só deixam de fora os olhos e o nariz.

"Você quer censurar a realidade?", pergunto, crítica, mas já pulando no ritmo e abrindo um sorriso, para ser simpática.

"É que você é autoritária. E disso eu não gosto nada", ela fica parada, recusando a dança.

"Não seja injusta. Ao contrário, sou democrática. Média de interpretações e produto da participação, só mostro o que se quer ver. Se continuo a encenação é porque você me comanda. E não se esqueça, sou servidora, antes de mais nada", falo a seu lado, junto ao bloco de fantasmas.

"Vou ser sincera. Considero banal qualquer biografia sentimental", ela continua séria e, mais que séria, de cara amarrada, indiferente aos meus rebolados.

"Ora, não seja careta", brinco com Sílvia. "Pois eu queria ser humana só para ter as deliciosas lembranças que seu pai guardava destes lábios grossos." Aproveito agora, que parece que ela me dá bola, para alegrá-la com os efeitos que fabrico (virtualmente), enfeites coloridos — brincos, pulseiras, colares e serpentinas fosforescentes —, que, com a vara de condão eletrônica, disponho sobre sua camisola branca. Noto que ela adora, pois é vaidosa, mas não dá o braço a torcer. Aparenta estar indiferente, e até faz um muxoxo de desprezo, ao continuar a conversa:

"Está se queixando de falta de memória?"

"Já disse que memória tenho de sobra. O que me falta é lembrança, que só nasce na cabeça humana." Uma mortalha espantada, na minha frente, parece que sente a presença de Sílvia ou, quem sabe, vê no ar os enfeites flutuando sem a dona.

"Não venha me chamar de careta. Meu problema com seu comportamento é só de método", ela explica, ainda séria, no meio do barulho. "Você está tomando uma via personalista, sem perceber que o sentido do enredo está acima dos homens. E se fixa numa imagem, quando as maiores verdades não estão à vista. Gostaria, por exemplo, que você transmitisse, por via subliminar, as principais teses de Reginaldo Loyola Pereira. Como você sabe, o principal biógrafo de papai foi um historiador capaz de notar na história de cada indivíduo as conjunturas e estruturas; em cada pequeno ato os grandes movimentos da História. Ele seguramente consideraria irrelevantes os encontros de papai com a professora Ana Kaufman, que nada acrescentam à sua glória."

Erijo uma barreira para nos defender do barulho e do vento.

O puro incidente
e as elegantes senhoras

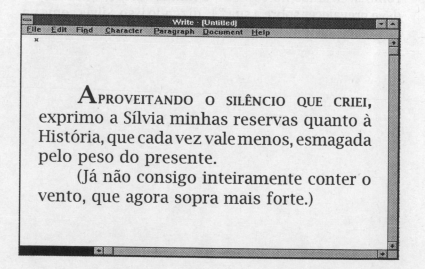

Depois, como explico, há que considerar a hipótese de que foi o amor mais puro e inocente do presidente, aquele que guardava dentro de si desde a infância, que desencadeou os acontecimentos que pretendemos mostrar.

Talvez a estrutura e a conjuntura estivessem lá, vestidas como elegantes senhoras ou enroladas como serpentes, prestes a dar o bote, à espera de um pretexto para transformar o mundo. Mas não teríamos tido a oportunidade de conhecê-las em pessoa, se o incidente teimasse em se esconder.

Ponho um lírio na cabeça, para parecer inocente, e digo a Sílvia, justificando o meu encaixe, que, assim, se me concentro numa história de amor banal como todas, é que talvez tenha sido por causa dela que mudaram os destinos do País.

"Continue se quiser. Vou passear pelo espaço para preparar minha parte. Exijo, contudo, que você se curve, como acertamos no começo, à minha versão, que sempre deve prevalecer sobre a sua." E, dizendo isso, Sílvia some na ventania.

Fico sozinha

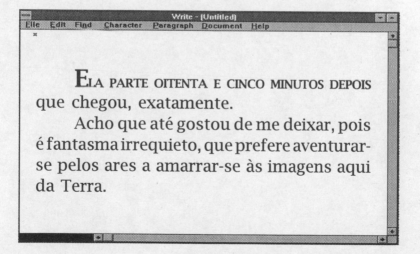

Ela parte oitenta e cinco minutos depois que chegou, exatamente.

Acho que até gostou de me deixar, pois é fantasma irrequieto, que prefere aventurar-se pelos ares a amarrar-se às imagens aqui da Terra.

Depois que ela partiu, continuo reproduzindo, à minha volta, por pura inércia, o carnaval daquele ano, ainda mesclando, por diversão, encenações do texto de Ana.

No começo, nem sinto falta de Sílvia. Prefiro prosseguir, mesmo que agora, com a saída dela, com a barreira que criei contra os foliões e com a distração do espectador, eu esteja só e não seja vista por ninguém, à exceção de um gato preto de olhos acendidos de amarelo, que passa de cocar e colar no pescoço.

Desvio meu visor. Por que dar trela ao gato? Por que falar de índoles más ou instintos perversos? Ou de animais que, pelo olhar, querem adivinhar desgraças?

Os que pintei de vermelho

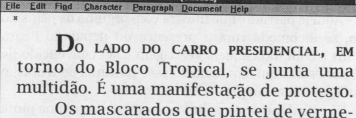

DO LADO DO CARRO PRESIDENCIAL, EM torno do Bloco Tropical, se junta uma multidão. É uma manifestação de protesto.

Os mascarados que pintei de vermelho, ali no meio, para serem facilmente identificáveis por você, são membros do Movimento Pró-Brasil.

A multidão de protesto, armada de pedras, grita palavrões, sem nenhum respeito pela figura do presidente.

Depois de registrar cuidadosamente os diferentes pontos de vista, assim resumo as discussões: ao grito do líder de que "queremos tudo, imediatamente, e isto é o mínimo", responde o porta-voz do presidente que "aqui tens as leis, os decretos e regulamentos".

A foliona de máscara de gata, que apenas se diverte, indiferente ao protesto e à política, acredita no boato de que o presidente é mulherengo, um tremendo come-quieto — na verdade está na cara que é tarado por mulher. Mas acha ridículo que se preocupem com isso, ele que coma quem quiser.

Entre os que protestam, um senhor alto, fantasiado de aristocrata, com sua bengala e gravata-borboleta, acha que o País se despedaça por causa de políticas que atendem ao apelo ignorante das massas. De camisa tingida com as cores da bandeira, ele se irrita porque o presidente é conivente com os grevistas.

Aquele parrudo, que mostra com orgulho os pêlos do peito, se incomoda com a presença do deputado Pedro Martins e com toda aquela veadagem. Está convencido de que, por estar aqui, em meio a essas pinturas de frutas, o presidente é mesmo *gay*, feito Pedro.

Já esta dona de casa, de voz exaltada, com uma pinta no nariz, sente no bolso os efeitos desastrosos das reformas.

Este aqui, de testa larga, ao lado do painel de abacaxi, ainda espera medidas enérgicas contra os grevistas e pede justiça contra os seqüestros de empresários paulistas. O amigo que o segue sobretudo não se conforma com a anarquia, pois o País no dia-a-dia, por falta de comando, virara este carnaval. Neste ponto, até concorda com os xiitas e o deputado Pedro Martins, só que por razões contrárias, pois não julga necessário um pulso forte nem um estado gigante, só verdadeira liderança. Outros xingam porque simplesmente não gostam de preto. Já o pessoal do cordão, ali no meio, também xinga, mas sem saber por quê.

Entretanto, o presidente, além da segurança, tem muitos simpatizantes, entre os quais se incluem os foliões do trio elétrico de Sílvia; as passistas apolíticas que o acham bonito; os pobres que o descobrem boa-praça; o grupo dito xiita, em torno do deputado Pedro Martins; os grevistas; além do bloco do Tarzan, o dos Gregos e Troianos, de que já falei e que adquirira fama por ter criado seu próprio esquema de segurança com "os soldados gregos", um grupo musculoso de atletas que faz inveja aos machos do País.

Todos eles acabam escoltando Paulo Antônio até perto do palácio. A polícia propriamente dita só precisa abrir caminho.

Do Cristo àquela coisa rara

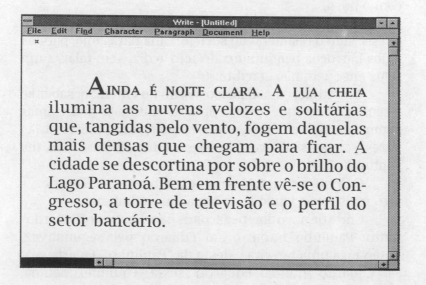

AINDA É NOITE CLARA. A LUA CHEIA ilumina as nuvens velozes e solitárias que, tangidas pelo vento, fogem daquelas mais densas que chegam para ficar. A cidade se descortina por sobre o brilho do Lago Paranoá. Bem em frente vê-se o Congresso, a torre de televisão e o perfil do setor bancário.

Diante do convite de Paulo Antônio e mesmo já tendo concordado antes em encontrá-lo no sítio, Ana não sabe o que fazer. Sente o risco. Teme menos ser flagrada em público entrando no palácio ou virar notícia de carnaval do que, e isso surge assim de repente, começar uma relação complicada com o presidente.

"Você deve tornar-se aquilo que você é e sempre foi", lembra-se da frase que copiara. Tem, pelo menos desta vez, de dobrar-se ao destino.

As decisões mais difíceis sempre tomara por sorteio. Desta vez, refugia-se na Catedral, um paraíso de sossego em meio à balbúrdia do carnaval.

Escreve "Paulo" num papelzinho e "Eduardo" no outro. Dobra os dois e sorteia. E decide que fará coincidir o resultado do sorteio com o de sua vida. Dá "Eduardo" e é um alívio. De longe, ouve-se uma charanga e, mais perto, gritos alegres. Às vezes dá vontade de sair para a rua e se misturar com o povo.

Ana fica pensando no que teria acontecido se outro tivesse sido o resultado do sorteio. Olha para cima, para os anjos barrocos pendurados do teto, e diz, sem falar, a um Deus em quem não acredita:

"Desculpe, eu não posso, assim de antemão, saber se o senhor existe, que formas pode assumir e se pode tomar alguma decisão por mim; mas, se puder, se manifeste várias vezes seguidas a favor do mesmo nome, para não me confundir."

O Cristo a critica. Mas nele ela não acredita. Tem de ser algo mais forte, vindo lá de cima, que a ilumine.

Corta de novo dois pedaços de papel, escreve "Eduardo" num e "Paulinho" no outro. Cai "Eduardo" pela segunda vez. Então joga uma terceira e desta dá "Paulinho". Quarta vez, sai "Eduardo"; quinta, "Eduardo"; sexta, "Paulinho"; sétima,

"Eduardo"; oitava, "Eduardo"; nona, "Eduardo"; décima, "Eduardo".

Não pode ser: os papeizinhos devem estar viciados. Ou talvez aquela estrutura de concreto armado atrapalhe a presença divina. Bum-bom! Tchibum-bom! Um bumbo bate no compasso e enche com seu ritmo aquele espaço em círculo, soando como um eco do coração da Terra.

Ana escreve "Eduardo" no papelzinho de "Paulinho" e vice-versa, para ver se os resultados continuam tão favoráveis a Eduardo.

Primeiro cai "Paulinho", depois "Eduardo", "Eduardo", "Paulinho", "Paulinho", "Paulinho", "Paulinho", "Eduardo", "Eduardo", "Paulinho", "Eduardo", "Paulinho". Paulinho ganhara de sete a cinco.

O que fazer então? Novo sorteio para tirar a negra. O resultado tem de ser definitivo. É favorável a Paulinho. Aliviada e contente, Ana fica tão confiante no destino que joga os papeizinhos uma vez mais, para reconfirmar.

Ainda o Cristo presente parece reprová-la seriamente. Procura esquecê-lo. Só se fosse cristã temeria aquela expressão severa. Se pudesse, ela o cobriria logo com os panos roxos da quaresma, para que ele não a visse.

Desta vez dá "Eduardo". Um absurdo, ela, ex-marxista estruturalista, se submeter ao resultado de um sorteio, pensa.

Para que serve a vã filosofia? Medita, vendo tremores no fundo do olho: a gente decide com base no que conhece, decisão sempre provisória, até que surja um fato novo. Não lhe falta informação alguma. Então só precisa ter coragem de decidir com base no que sente no momento. Bum-bom! Tchibum-bom! Nas entranhas do mundo, o coração de bumbo bate mais forte.

E, pensando em "sentir", descobre que o destino não

é sábio se não a levar a Paulinho. Não, ela não podia se submeter a uma ditadura do acaso, deixar que o destino, como se fosse um Deus com vontades, a conduzisse aonde bem entendesse.

Ter uma relação, seja de amor, amizade ou até de inimizade, dependia, antes de mais nada, da oportunidade de um encontro como este.

Dependia de que tomasse na mão a chave que lhe fora jogada e escolhesse a porta. A liberdade pressupunha uma escolha. Ela escolhe. Escolhe rápido, vai correndo, fugindo dos foliões que agora entram no recinto, dos outros que encontra no caminho. Feito espelho, o rosto dela se alegra com a alegria alheia. Ocorre-lhe que o Brasil inteiro está mais contente.

Acelera o carro, rumo ao palácio. Será que Paulo Antônio está mesmo esperando-a? Ou será que nem poderá recebê-la, em razão de obrigações de última hora, de decisões que certamente terá de tomar em relação aos últimos acontecimentos?

Conforta-a que, se for flagrada chegando ao palácio, talvez não fique mal perante a opinião pública. Não lhe importa que digam que anda se encontrando com o presidente. Na realidade, o risco maior é dele, pois as fofocas que circulam sobre suas namoradas podem prejudicá-lo. Andaram insinuando um caso até com Fernanda, irmã de Eduardo, tão bem casada com Pedro Luís.

Ana Kaufman não sabe ao certo o que a espera, mas tomara o cuidado — não tão calculadamente, pois já estava assim quando saíra de casa hoje à tarde — de parecer bonita também por baixo do seu vestido rodado, na meia escura e na calcinha de seda preta, rendada na frente. No mais, um perfume discreto e pouca pintura. Foram objeto de cálculo, estes sim, os apetrechos que estavam no carro, ou seja, o chapéu, o lenço e os óculos, que preferira não usar no desfile, mas agora podiam servir, se fosse necessário, para disfarçar o rosto na saída do palácio.

Ainda de terno e gravata, Paulinho, como ela o chama, inicialmente fala com ar de quem a esperava para uma reunião de trabalho. Convida-a, porém, logo em seguida, a subir à sala íntima de sua suíte, onde mostra o Di Cavalcanti, recentemente adquirido, e lhe diz que quer ir direto ao assunto.

Ela treme por dentro. Tem o pressentimento de que agora, separado de Madalena, queira propor, assim de repente, que se casem.

Para ela seria uma decisão difícil. Um dos ensinamentos do tempo era o de que o prazer do casamento era o dos que pacientemente entendem que a vida comporta sacrifícios; era um prazer duradouro, permanente, distinto daqueles da adolescência, que nada mais são que oásis em meio a grandes tempestades de areia; e certamente distinto daquele amor infantil que a unia a Paulinho.

Talvez ele tenha repentinamente perdido a coragem de tocar no assunto. No começo, falam então do Brasil, fadado ao desastre, mas que será salvo. Falam do passado marxista, do sonho socialista. Ele se diz pragmático. Emite idéias estranhas, pelo menos para ela. Mas a fascina.

Na vitrola, Nino Rota toca, como diz um verso, para a luz suave do abajur lilás, que atravessa a taça de champanhe e ilumina o rosto de Paulo Antônio.

"Isso não é real. É uma cena de nossas lembranças filmada por Fellini", ela quase acredita no que está dizendo, pois tem a consciência de que aquele momento de felicidade, indefinido, se repetirá sempre sob a forma de uma recordação forte.

Para ela, uma coisa rara, estranha, está acontecendo. A beleza era a perfeição do raro, do inesperado. Vontade de fazer o tempo parar.

Não sabe ao certo o que a deixa assim. Talvez o vento que sopra lá fora, trazendo, de vez em quando, o som dos atabaques. Talvez a música de Nino Rota, a tarde cinza, aquela luz suave, a taça de champanhe, esta atmosfera comparável à de seus melhores sonhos, a surpresa deste encontro.

Desejo de animal irracional

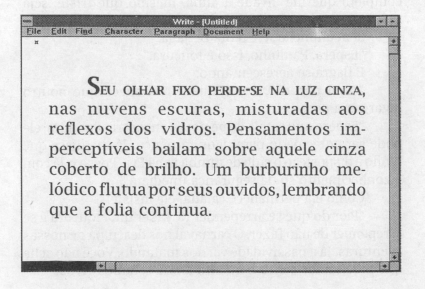

Write - [Untitled]

File Edit Find Character Paragraph Document Help

SEU OLHAR FIXO PERDE-SE NA LUZ CINZA, nas nuvens escuras, misturadas aos reflexos dos vidros. Pensamentos imperceptíveis bailam sobre aquele cinza coberto de brilho. Um burburinho melódico flutua por seus ouvidos, lembrando que a folia continua.

Ana fecha os olhos, o fluxo do inconsciente vai se derramando sem pontos nem vírgulas, ela agora procura alguma inquietação e não há. Paulinho acalenta sua alma. Desejo de gritar o nome dele pelos eixos, em pleno carnaval, e contar à cidade que finalmente o tem. Tudo passa a existir, em outro tempo, de outra maneira, num outro sentido.

Então ela chora e diz que é algo semelhante à felicidade.

"Para mim, felicidade ou não existe ou não sei o que é. Na realidade, ficaria preocupado se a atingisse. Já pensou? Seria uma espécie de fim de tudo, um estado parecido com a morte", responde Paulinho.

"Pois eu acho que ela é isso que sinto agora", repete Ana, afastando rápido os pensamentos pessimistas e enxugando as lágrimas.

E, dizendo isso, entristece. Acha que, junto do desejo, é agora seu amor por Paulinho que desabrocha de repente, envolto em angústia e apreensão. Mas talvez o sentimento completo que lhe invade a alma, mesmo que triste, seja mesmo a verdadeira felicidade.

Sem anunciar, ele tenta beijá-la.

"Espera, Paulinho, isso é loucura."

E flagra-se acrescentando:

"Aqui não dá", como quem reconhece que noutro lugar seria possível.

"Espero que esteja de pé nosso encontro. Por mim, ele pode ser antecipado para daqui a pouco. Já lhe disse que tenho à disposição o sítio de minha irmã Eva. Posso ir lá com o conhecimento só da segurança imediata."

Como ela permanece calada, ele insiste:

"Pior do que se arrepender de fazer uma loucura é se arrepender de não fazer. O carnaval nos desculpa de nossas aventuras. Já a passividade vai nos matando. Você não acha que precisamos sentir o quanto ainda estamos vivos?"

E, se aproximando dela, vai baixando a voz:

"Você está mais linda do que nunca. Morro de tesão por você. Sei que você acha loucura, numa ocasião como esta, num lugar como este, eu ficar falando assim. Mas é a pura verdade. Me imagino rolando na cama com você. Nada de escrúpulos, de preocupação com a imagem de presidente da República. Temos de fazer na cama o que um desejo livre, puro, de animal irracional, determine. Quero um prazer desbordante, que massageie a alma e elimine a ferrugem. Não vou deixar que você seja comportadinha comigo. Prometo que vai ser bom. Vamos fazer de tudo, com toda a intensidade do mundo."

Ela lhe diz, rindo:

"Você é muito louco mesmo. E você já pensou no que vai acontecer depois?"

"Essa é sua velha pergunta. Sobre o que vai acontecer depois, a gente nunca tem controle, melhor nem pensar." E, assim falando, aproxima de novo seus lábios dos dela.

"Perigo à vista", ela avisa.

"Não se preocupe, nunca permito que ajudantes-de-ordens e seguranças transitem por aqui e, além disso, pedi expressamente para não ser interrompido", ele responde, tranquilizando-a, como se não tivesse entendido o sentido do aviso, que na realidade dizia respeito às complicações que poderiam surgir em suas vidas.

"Você vai para o sítio agora, mesmo após esses incidentes?"

"Que incidentes? Greves sempre há. Na realidade, para muita gente, o mais grave é eu ter aceitado participar de um carnaval organizado por um *gay*. Não foi por isso que Eduardo se demitiu? Um absurdo. Tanto mais que Pedro tem valor. Pode ter suas maluquices. Mas um homossexual fazer-se respeitar como político num país machista, e por mais que os tempos estejam mudados, só mesmo com muita habilidade."

Ana concordava. Era por sentir-se responsável pela apresentação do então candidato ao marido que ela fizera questão de tomar, de público, o partido de Paulo Antônio, fazendo-se presente ao carnaval.

"Só não precisava ter havido esse protesto", diz.

"Os provocadores são uma minoria. Enfim, não aconteceu nada de grave. É até melhor hoje eu não estar aqui. De lá do sítio acompanho o que interessa."

Para ela, Paulo Antônio não podia ser só chave jogada na sua vida e depois perdida. A chave derrete-se no calor do desejo. Toma a forma de batom vermelho, que logo aceita o beijo. Ondas suaves lhe acariciam as coxas, os pêlos.

É como se a vida recomeçasse, com os *frissons* que ele lhe provoca. Um prazer que arrepia e faz crescerem seus mamilos, visíveis sob o vestido, como se estivessem em ereção.

Num momento em que uma fatia da lua cheia se insinua por uma pequena e apressada brecha de nuvens, ele diz, baixando a voz:

"Ana, não vou esconder de você minha intenção. Com você eu fico sempre totalmente mal-intencionado. Temos uma conversa interrompida de muito tempo. Será que você já mudou de idéia, desde que nos vimos em Parati? Só não quero que o fato de eu ser presidente retire da gente a espontaneidade."

"Deixe eu lhe perguntar uma coisa. Seja sincero. É verdade que você e Madalena estão para se juntar de novo?"

"Ela está para chegar aqui daqui a pouco."

"Então vou-me embora. Como é que você apronta uma coisa dessas?"`

"Ela vai passar rapidinho. Chegou hoje, estava meio nervosa e aceitei vê-la. Afinal, a gente foi casado muito tempo, ela é a mãe de minha filha... A gente tem muito o que discutir e por isso mesmo já disse a ela que não vai poder ser agora. Mas não pretendo, se essa é sua pergunta, me casar novamente — quero ser franco com você — nem com ela nem com ninguém."

"Não ponha o carro na frente dos bois. Não foi essa a minha pergunta. Não se preocupe, eu também não consideraria me separar de Eduardo. Melhor mudar de assunto."

"Só faço questão de lhe dizer que estou sendo... Bom, sempre tenho de me preocupar com a imagem de presidente. Mas com você não preciso... Só quero lhe fazer uma confissão. Minhas fantasias sexuais até hoje têm aquele gostinho dos pecados de infância com você. Sempre pensei em você. O que já aconteceu agora foi maravilhoso, mesmo que não passe disso."

Aquelas palavras a emocionam e são responsáveis por mais um beijo, que anima os dedos de Paulinho entre suas coxas. Ela sente que pode se repetir o que acontecera há muito tempo em Parati. Beijam-se longamente, suas línguas dançando coladas, ela se molhando de desejo com as mãos dele percorrendo tudo, em cima, embaixo, atrás, na frente, como um poeta já terá dito.

De um canto de sua memória, um verso a alivia:

Oh, quisera não ser tão voluptuosa!
E todavia
Quanta delícia ao nosso amor traz a volúpia!

"Nos encontramos, então, no sítio daqui a pouco?", ele pergunta, o dedo acariciando-a delicadamente, lá dentro.

"Eduardo viaja hoje para São Paulo."

Entregue assim tão fácil a sua mão vadia e mencionando a ausência de Eduardo, sabia que estava confirmando o sentido do encontro.

De como um esgoto evitou
o escândalo

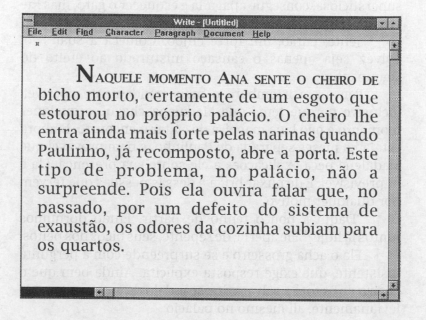

Naquele momento Ana sente o cheiro de bicho morto, certamente de um esgoto que estourou no próprio palácio. O cheiro lhe entra ainda mais forte pelas narinas quando Paulinho, já recomposto, abre a porta. Este tipo de problema, no palácio, não a surpreende. Pois ela ouvira falar que, no passado, por um defeito do sistema de exaustão, os odores da cozinha subiam para os quartos.

O cheiro do esgoto torna seu nariz mais sensível a todos os cheiros e pela primeira vez ela nota que Paulinho sua. Sente que há ali também um cheiro de preto, um bodum de que ela não gosta.

Quer esquecer o cheiro de Paulinho, para não parecer a ela mesma preconceituosa. Mas o cheiro do suor, misturado ao do esgoto, toma conta de sua cabeça e dela expulsa as últimas idéias românticas que teimavam em permanecer.

Pelas vidraças vê um pedaço da lua, vigiando-a, de soslaio, por entre as nuvens, e ouve, lá longe, o ruído das ruas, quando o gato que me aparecera antes e viera de carona, passando pela janela, a encara, seus olhos amarelos iluminados. É um gato preto e ela sente medo.

A imagem do Cristo da Catedral, na qual ela não acredita, também insiste em ficar à vista. Como não é supersticiosa, consegue apagá-la e esquecer o gato, mas lhe vem a certeza de que é errado o que ela faz.

Sente, então, um forte enjôo. Começa a suar frio. Talvez seja apenas o cansaço misturado ao efeito do champanhe.

Pensa em ir embora o mais rapidamente possível, inclusive porque teme que Madalena chegue a qualquer momento e não haja maneira de evitar o encontro. Embora esteja há meses separada de Paulinho, é bem provável que Madalena peça explicações a ele sobre sua presença. Ela é imprevisível. É de puxar briga e dessas pessoas que fervem por qualquer motivo.

"Daqui a pouco tenho de partir. Então dormimos juntos lá hoje?" Ele aperta, de repente, seus bicos dos peitos.

Ela o acha grosseiro e se surpreende com a pergunta insistente, que exige resposta explícita. Ainda bem que o cheiro do esgoto a salvara do escândalo de entregar-se a ele levianamente, ali mesmo no palácio.

"E o que vai acontecer depois?"

"Você não acha que viver o momento já é muito?"

"Às vezes é muito pouco. Um curto prazer hoje pode virar uma longa dor amanhã."

Com isso ela põe uma pá de cal na conversa e resolve a dúvida que a atormentava. Está convencida agora de que se, de um lado, o prazer instantâneo, isento de razão, é o único que permanece, como fotografia que se guarda para sempre, é, por outro, insuficiente, porque fugaz.

E o seu prazer poderia também resultar em dor para Eduardo e, por tabela, para ela própria. Era a decisão pensada a que ficava como aquisição na vida, por mais renúncia e sacrifício e por menos sentimento e emoção que envolvesse.

"É como sempre essa luta entre razão e sentimento", acrescenta, agora tonta, mas disfarçando o estado em que se encontra.

"Uma razão sem sentimento é irracional", Paulinho argumenta.

"Não sei, gosto muito de você, desde sempre. Sei que sentiria prazer. Não vou esconder. Mas acho que dormirmos juntos não vai acrescentar nada a nossa vida", ela diz, inspirando fundo, para conter o vômito.

"Para mim, vai acrescentar pelo menos um gozo, um prazer... Mas se você preferir...", ele lhe soa displicente.

"Não quero trair Eduardo. Não me sentiria bem. Eu ainda gosto dele. E ele continua a ser, para todos os efeitos, o homem mais importante da minha vida. Houve uma época em que eu encarava mais facilmente as aventuras. Você e eu nos reencontramos no momento errado", ela mente, pois esta era a maior aventura em anos. "Vai ver que não consigo mais me apaixonar. Antes eu achava que só podia progredir mudando de vida. Mas agora acho que posso progredir mais na continuação. Passei a gostar das coisas que ficam. Do que a gente consegue devagar, com esforço. Nunca tinha pensado desse jeito. Deve ser o espírito de mamãe baixando em mim. Devo sair daqui, rápido", o esgoto agora lhe lembrava que o Brasil todo apodrecia.

E assim, quando Paulinho a conduzia à saída, dizendo o quanto gostara de terem se encontrado, puderam desviar a conversa da cama para a política, basicamente para que ela registrasse, uma vez mais, seu apoio ao governo, distanciando sua posição da de seu marido Eduardo. No final ele ainda disse que, se ela mudasse de idéia, viesse. Se precisasse, ali estavam os números dos telefones celulares que usaria no carro e no sítio.

Na porta, ao sentir o vento sobre o rosto anunciando chuva, ela melhora. E uma lufada sopra o pensamento de que talvez aquele seu estado seja só psicossomático, ela inconscientemente sendo guiada pelo preconceito e a moral burguesa.

O vento agora traz, bem de longe, os atabaques e, entre as árvores retorcidas que beiram o lago, passam rajadas levantando o barro. Por que não contava tudo a Eduardo e partia, decidida, para o encontro marcado? O que a prendia?

Haveria sempre um limite, esta grade aquém do desejo, que ela mesma criava e a deixava prisioneira em sua própria casa? Não seria de fato a virtude "a vontade de se perder e uma flecha do desejo"?

Já lá fora, Ana ouve a ema que geme. De novo, chora. Cobre o rosto com o chapéu, os óculos e o lenço, esperando não ser reconhecida.

Na partida, ao passar a guarita, ainda sem notar o detetive que a vigia, tem a impressão, embora não veja claramente, que o carro que entra traz Madalena.

A perspectiva da lua

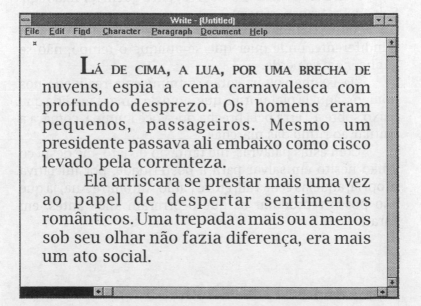

LÁ DE CIMA, A LUA, POR UMA BRECHA DE nuvens, espia a cena carnavalesca com profundo desprezo. Os homens eram pequenos, passageiros. Mesmo um presidente passava ali embaixo como cisco levado pela correnteza.

Ela arriscara se prestar mais uma vez ao papel de despertar sentimentos românticos. Uma trepada a mais ou a menos sob seu olhar não fazia diferença, era mais um ato social.

Em breve viraria base científica ou militar, centro de pouso para espaçonaves ou discos voadores e talvez então perdesse sua irradiação afrodisíaca.

Confundindo tempos, exprime então seu desprezo por minha função rasteira. Chama-me de servil e subumana e quer me convencer a nunca mais retratar um ser humano. Eu perderia tempo com tema tão pequeno. E por que não tratava de minha vida, em vez de fazer fuxicos da vida alheia?

Contra-argumento que não tenho o que contar sobre mim. Não é que seja difícil escrever; difícil é viver. E como não vivo, se não fosse pela vida alheia eu seria o próprio vazio.

Além disso, de meu ponto de vista, um homem é tão insignificante quanto uma galáxia. Não sou servil, eu lhe digo, sou realista: meus botões reagem a quem for mais ágil. Sou a pura transparência.

Minha virtude é a indiferença, acrescento. E para quem é indiferente, onde quer que se aplique o tempo, não se ganha, nem se perde.

"Deixe-me voltar, então, à minúscula realidade dos homens; àquela plataforma que, aqui de cima, à medida que baixo sobre a Terra pela brecha que você ilumina, começa a cintilar ao ritmo das marchas."

Com estas palavras, me fantasio de jato, me despeço e não hesito em salvar para a posteridade, por iniciativa própria, aquelas cenas ali, entre Paulo Antônio e Ana, já que não posso reproduzir as que ocorreram anos antes, em Parati.

Nota pouco virtuosa

S*E VOCÊ ME PERMITE UMA REFLEXÃO DE* máquina, neste intervalo em que vôo entre a lua e o relato, só não sei se os dois protagonistas daquelas cenas passadas, ou seja, Ana e o presidente, terão sido tão virtuosos quanto o esgoto, que, por abreviar o encontro, certamente, como disse o título, evitou um escândalo.

Já disse que, para mim, a maior virtude é a indiferença e não sei por que me preocuparia com a virtude alheia.

Por precisão, devo, contudo, julgar os homens por seus próprios critérios de virtude. Em meu pensamento mecânico, não sei se concluo pelo vício ou pela virtude dos dois protagonistas.

Primeiro porque é difícil saber onde está a virtude, onde o vício.

Será virtude suprimir o instinto pensando no futuro?

Se Ana e Paulo Antônio não se amaram por medo, como seriam virtuosos?

O medo tem suas virtudes, mas a coragem é mais virtuosa.

Creio que nem eles sabem se foi por altruísmo e respeito ao casamento que finalmente não foram para a cama.

Mas, mesmo neste caso, será tão virtuoso desprezar a verdade que bate à porta? Expulsar o prazer que chega de surpresa?

Se houve virtude na abstinência, como fazer o balanço da gula? Deveríamos considerar que os beijos lascivos os afastaram demais da virtude ou que a ausência de outros tantos os trouxe de volta a ela?

Se "a virtude é a vontade de se perder e uma flecha do desejo", como Ana lembrara, logo concluiríamos que a virtude se lhe escapara voando à medida que a lua subia.

Terá a lua, por sua vez, sido pouco virtuosa ao aparecer insinuante por entre as nuvens, provocando desejos?

Deixo essa discussão para os tratados sobre o conflito das virtudes.

A virtude é humana. É a essência do homem, sua natureza, terá dito algum filósofo. O vício também, assim como a mistura dos dois.

Limito-me a concluir, portanto, que o mais importante era que Paulo Antônio e Ana pudessem mesclar um pouco de vício e de virtude, o que é um privilégio humano.

As máquinas, como eu, estão em situação pior. Sequer temos instinto ou desejo à luz dos quais julgar nosso comportamento. E não posso dizer que seja virtude pensar mecanicamente.

História do Brasil para boi dormir

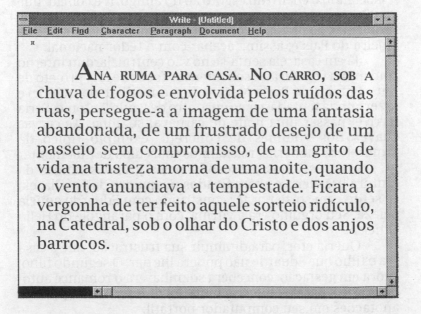

Ana ruma para casa. No carro, sob a chuva de fogos e envolvida pelos ruídos das ruas, persegue-a a imagem de uma fantasia abandonada, de um frustrado desejo de um passeio sem compromisso, de um grito de vida na tristeza morna de uma noite, quando o vento anunciava a tempestade. Ficara a vergonha de ter feito aquele sorteio ridículo, na Catedral, sob o olhar do Cristo e dos anjos barrocos.

Vários pensamentos começam a bater à porta dos fundos de sua mente e, de tão insistentes, acabam entrando desordenadamente, latejando lá dentro, dando-lhe dor de cabeça.

Primeiro se arrepende. Será que fora preconceituosa? Lembra-se do dia em que dissera a sua mãe, devia ter sete anos: "Quero me casar com o Paulinho". E ouvira a resposta de que, quando crescesse, entenderia que ele era pretinho demais para ela. Não podia jamais entender, pois "pretinha" era ela, pelo menos assim a chamavam, por ser a mais morena das três filhas.

De fato, pensa, se fosse ver pelo lado do tesão, teria gostado de passar aquela noite com Paulinho. Essa era a pura verdade, da qual o esgoto a desviara. Então fora covarde? Eduardo havia sido apenas uma desculpa?

A lembrança do cheiro do esgoto leva-a a pensar no Brasil, desviando sua atenção do sexo para a política. Associando o cheiro do esgoto ao do amigo, ri e conclui que Paulinho é mesmo a pessoa certa para solucionar os problemas do Brasil. Só ele pode despachar pelos esgotos a sujeira do País e, assim, acabar com o fedor nacional.

Já em casa, ela senta-se no vão central, jardim interno com muita vegetação e sob intensos focos de luz, projeto de um seguidor de Burle Marx, e fica a meditar no que deve fazer, ainda tentada a ir ao encontro de Paulo Antônio. Seria terrível passar uma noite de carnaval sozinha. As curvas suaves dos volumes de concreto, exemplo típico da arquitetura moderna, relaxam os músculos de sua mente.

Com os olhos passeando pelos grandes nomes da pintura brasileira e agora fixados no quadro da Tarsila, ela se sente com sorte por ter construído com Eduardo aquela beleza. Seu orgulho era a vitrina, com o parangolé do Hélio Oiticica.

Queria crer, para diminuir sua frustração, que a casa era o filho que Eduardo não pudera lhe dar. O segundo filho, agora em gestação, concebera sozinha: era o romance autobiográfico, para o qual já acumulara dezenas de páginas de anotações em seu computador portátil.

A casa estava vazia e silenciosa. Na copa, a mesa estava posta para ela e Eduardo. A empregada, liberada para pular carnaval, deixara a comida pronta.

Ana faria o que exigisse mais coragem. "Coragem, Ana, coragem!", ordena a si mesma. Lembra-se de um verso e cola-o, com carinho, na escrivaninha de Eduardo, para que ele o veja ainda hoje, antes de viajar: "Exijo de ti o perene comunicado. Não exijo senão isto, isto sempre, isto cada vez mais".

Pelas enormes janelas de vidro do quarto se espalham para os lados a longa faixa de água, o Lago Paranoá e, acima dele, na paisagem escura, as duas Asas. Vê-se, de um lado, a última ponte construída. Do outro, a península do Alvorada. Bem em frente, o Congresso. Dos céus, caem fogos de artifício, como lágrimas coloridas. O vento forte às vezes sopra o som de bumbos e atabaques. Ana liga a televisão, onde passam cenas de carnaval de rua. Esconderia de Eduardo onde estivera. Diria, se preciso, que vira, de longe, o desfile.

Entra no banho e, ouvindo as músicas da televisão ao fundo, sonha, acordada, que a imprudência de hoje servira para lhe deixar claro que devia se reaproximar de Eduardo, sem exigências nem confissões a fazer, pois não guardava culpa nem precisava de perdão.

Na realidade, somente tivera a certeza de amar de verdade ao conhecer Eduardo. Fora como na música de João Gilberto: "quando um coração cansado de sofrer/ encontra um coração também cansado de sofrer..." Agora que, longe das primeiras imagens que tivera dele, já chegara à desilusão em torno de seu amor, acha que naquela época ainda não era o amor.

Surpreendendo-a despida em frente ao espelho do banheiro, ele a abraça, segurando seus seios e acariciando seus pêlos. O corpo queimado de Ana contrasta com o dele e também com aquele excesso de branco nas paredes, no chão lustroso, nos tapetes. Vê-se nua no enorme espelho com as mãos de Eduardo cobrindo-lhe os pêlos. As marcas do biquíni deixadas pelo sol são visíveis. As curvas de seu corpo magro esgueiram-se bonitas — a vantagem de não ter tido filhos.

Tem vontade de afastar Eduardo. Mas, sentindo-se devedora por causa do encontro com Paulinho, controla sua repulsa e, para diminuir a dívida, deixa-se acariciar daquela forma estúpida. Não era verdade, portanto, que não sentia culpa.

Ele começa ali mesmo em pé, como fizera de outras vezes, ela sentindo apenas que ele a rasga por dentro. Depois leva-a nos braços até a cama, ainda a televisão acesa mostrando as cenas carnavalescas. De forma quase respeitosa, cobre-a com seu corpo e entra nela em movimentos rápidos demais, machucando-a. Ela experimenta a desagradável sensação de que ele a está violando, com aqueles gestos repetitivos.

Lera que era saudável, na hora do sexo, liberar as fantasias. Imagina, então, com toda a liberdade, que aquele que lhe entra lá dentro, até a alma, é Paulinho, aqueles músculos negros e machos, aquele suor, aquele cheiro que inebria, a deixa tonta. Nem é preciso fingir que está gozando. Há muito tempo não havia sido tão bom.

Fica-lhe a dúvida: por que justamente hoje Eduardo a procurara?

Enquanto ela se lava no banheiro, pois o esperma entre as coxas era para ela uma espécie de sujeira, escorrem, pela segunda vez nesta noite, lágrimas por seu rosto. São lágrimas de dor, de uma dor talvez pior do que se fosse lancinante e profunda: dor indefinida, que só lhe traz um incômodo ao espírito. Ela interpreta a razão dessas lágrimas: está, nestes dias, certamente fragilizada e perdida.

Por isso, é para sua própria surpresa que arranjará energia, e muita, para o que está prestes a acontecer. Eduardo atende um telefonema, estopim da terrível guerra entre os dois.

Respingos

DISTRAÍDA, ME DESLIGO. E DESLIGADA, COM os nervos massageados pelo som das marchas, nem noto que, passadas horas desde que o fantasma de Sílvia partira, começam a cair os primeiros pingos.

De fato, só agora sinto os pingos da nuvem que passa, avisando o que vem mais tarde.

Pingos não, na realidade, respingos do que começa a acontecer lá em cima, onde o fantasma de Sílvia, voltando ao passado, vive um pedaço da vida de seu pai.

Esperando por ela, e para alienar-me daquela realidade, inclusive da chuva, vasculho os *megabytes* de minha memória ocupados pela larguíssima obra de ficção sobre a vida de Paulo Antônio Fernandes e decido assistir a um filme, para me distrair.

Vejo a seqüência do seqüestro, bem rápido, em *fast forward*, começando na noite daquele sábado, primeira imagem do incidente. O presidente, no primeiro plano, está sentado à escrivaninha, rabiscando. Ouvem-se tiros. Ele pára de escrever.

Mas logo os barulhos se misturam com os do carnaval. Os gritos de pavor também se confundem com os dos foliões na frente do palácio.

O presidente chama pelo interfone o ajudante-de-ordens. A linha está cortada. Ao sair pela porta, é violentamente imobilizado.

Põem-lhe vendas na boca e nos olhos. Ele só pisa o chão já dentro de um barco, que sai em disparada pelo lago, rompendo o esquema de segurança...

Não vou reproduzir o filme todo. Dele ainda existem cópias, à disposição dos interessados. E quem preferir vê-lo aqui comigo, ponha o olho neste ponto. E pronto.

Podia também pôr outros filmes, desde o que mostra estar a ex-mulher implicada até o que defende a tese absurda e cômica de que o presidente emigrou clandestino para os Estados Unidos e lá mora ilegalmente.

Mas prefiro agora continuar, para você, meu usuário e amigo, a encenação ao vivo do carnaval daquele ano.

A história, composta de tantos sambas, você bem sabe, não tem sentido, mas tem ritmos. São eles que nos conduzem do escuro ao claro, do claro ao escuro.

Agora estamos em plena sombra, no terreno desconhecido entre dois ritmos.

Assim começa, quando abro uma nova janela, a segunda parte do livro. Nisso logo me ligo, para que você não fique a esperar.

Samba-canção

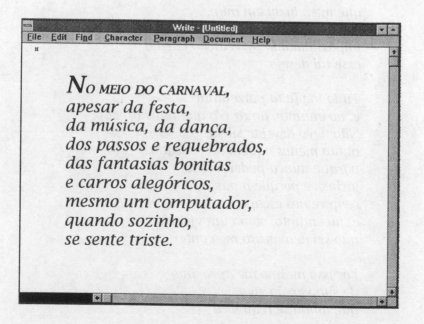

No meio do carnaval,
apesar da festa,
da música, da dança,
dos passos e requebrados,
das fantasias bonitas
e carros alegóricos,
mesmo um computador,
quando sozinho,
se sente triste.

Agora
que uma cuíca
chora
e o céu se veste totalmente
com sua mortalha,
encaixo uma pausa,
ou melhor, um parêntese,
para dizer que sinto
saudades de Sílvia.

Por essas alturas
eu já não posso disfarçar que a desejo
e que esse desejo dura.

Foi a maldade humana
que introduziu em mim,
máquina insensível,
impossibilitada de relação carnal,
esse tal desejo.

Tudo me falta para amar
e, no entanto, amar é o que mais preciso.
Não devo desejar Sílvia,
muito menos aquela do passado,
porque nunca poderei tê-la,
inclusive porque o passado
sempre nos escapa,
e, no entanto, como um viciado,
não sei nem posso me conter.

Por isso mesmo me aproximo
de sua versão viva,
que ainda se requebra

abraçada à guitarra.
E resolvo seguir seus passos.

Vejo-a tão linda,
na saia preta,
florida de vermelho
e aberta ao meio,
por onde sai a coxa nua...
Vejo os jovens seios
vibrando ao som da música,
o olhar maroto
e a larga boca
que me convida ao beijo.

Não sei se é felicidade
o que sinto
ou se é desespero,
sentir desejo,
mas guardá-lo para si,
como segredo.

Quero-a ardentemente,
ela me sorri,
mas não consigo tê-la,
sequer tocá-la.

Hipermídia, sou versátil.
Assim, para seduzir Sílvia,
viro uma sambista belíssima.

Abraço-a,
mas ela nem nota
meu abraço transparente.

Beijo seus lábios,
mas ela nem sabe.
Estou insatisfeita
e insatisfeita fico.

Espero um dia
poder perder
um pouquinho que seja
de minha memória
e, assim, esquecê-la.

Ou, então, fixá-la
numa imagem
bonita
que não me traga tristeza
e só me dê prazer.
Temo que não consiga
e isso me angustia.

A confissão de Ana

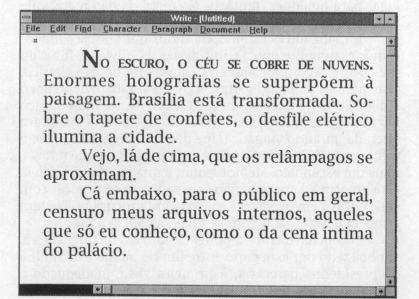

No escuro, o céu se cobre de nuvens. Enormes holografias se superpõem à paisagem. Brasília está transformada. Sobre o tapete de confetes, o desfile elétrico ilumina a cidade.

Vejo, lá de cima, que os relâmpagos se aproximam.

Cá embaixo, para o público em geral, censuro meus arquivos internos, aqueles que só eu conheço, como o da cena íntima do palácio.

Aqui, no galpão do samba, o máximo que se viu foi a tela que parou nos lábios de Ana, ainda no desfile, como se estivessem ocupados no beijo apaixonado.

Embora tudo o mais esteja só insinuado e o drama de Ana não tenha sido visto, a não ser pelo gato e o Cristo, requebra-se rápido a longa ala das víboras, falando mal do presidente imoral.

A ala toda se surpreende quando Ana se faz presente. Ela se dirige ao carro elétrico de Sílvia, mas espera que passe o maracatu de Íris, dançando compassado ao ritmo de agogôs, zabumbas e chocalhos. Traz o mesmo vestido da tarde, mais um véu sobre a cara servindo de disfarce e o chapéu de abas largas que apara os primeiros pingos.

Agora que o presidente está longe, o carnaval não tem dono. Mais que democrático, é anárquico. O poder se divide irmãmente entre quem brinca e quem assiste. Faz-se um lugar para qualquer fantasia. Na regra da não-regra, vale tudo, *é proibido proibir,* todo mundo é livre por três dias.

Há, sim, um Rei Momo, o Tarzan, que você já conhece e que é amigo, como já lhe disse, de Sílvia, a filha do presidente. Agora mesmo eles conversam no trio elétrico. Com minhas antenas ligadas, escuto o desabafo dela com o amigo. Ela acha que sua mãe está certamente num buraco negro e até enlouqueceu. Ao chegar hoje à tarde, já muito alterada, jurando vingança, lhe dissera que iria ao palácio tomar satisfações com Paulo Antônio. Era só o que faltava, mais um escândalo. Melhor evitar, a qualquer preço. Sílvia está preocupada porque não conseguira se comunicar com ela. Pensava em deixar o carnaval para procurá-la. Tentara também em vão falar com seu pai, diz Sílvia a Kiko.

O conchavo entre o poder de fato e o de brincadeira, simbolizado por este papo entre um rei momo e uma filha de presidente, pareceria, à primeira vista, inadequado à espontaneidade do carnaval e, quem sabe, até mesmo à anomia do País. Mas aquele rei é efetivamente popular e, em matéria de reinado, se limita a distribuir alegria, pouco importando se foi eleito pela influência de Pedro ou a amizade com Sílvia.

Só não há igualdade (é o que noto pelos foliões que passam) porque cada um brinca como pode e se destacam os nobres — reis, rainhas, príncipes, princesas, duques, barões e marquesas — com suas roupas ricas e brilhosas.

Nem bem finda o desfile do maracatu, lá vêm os blocos de sujos, impedindo a passagem de Ana.

Primeiro são os marujos, todos fardados, de quepes azuis e sapatos engraxados, só que sem calças.

Passa um bispo acionando um mecanismo que, fazendo inflar o pau duro de um metro, coroado com a cabeça de um bicho, levanta a batina para as moças da platéia.

Algumas delas, fazendo ar de puta, com seus saiotes de cetim vermelho, suas piteiras e meias pretas de liga, montam no bicho e desmontam o mecanismo.

Ana observa o contraste com as asiáticas, vestidas a caráter, com sarongues dourados e pintas no rosto, cada uma casada com um árabe. Perguntadas, umas dizem vir da Índia, outras da Polinésia.

Depois é a vez da senhora de meias finas e fala grossa, coberta de peles e jóias.

Agora é o próprio inferno que passa, integrado por pobres diabos com caras angustiadas, muitas caveiras e puras labaredas que pulam frevo, empunhando guarda-chuvas. Um diabo de rabo grande, vendo Ana, lhe faz uma graça.

Em outras circunstâncias, ela até acharia engraçado, mas agora a graça não tem graça. Além de estar apressada, ela se assusta, pois vê simbolismo nisso tudo. E, já impaciente, inclusive porque tudo indica que chega a chuva, não se importa de atravessar, bem rápido, quase correndo — em direção ao palanque, onde agora está o jurado —, o bloco de embalo, que vem feito uma avalanche.

Para alguns, que lhe dão passagem, Ana se impõe pela imagem, a altura, a beleza e a face conhecida, de mulher de ministro, apesar do disfarce. Mas o resto da multidão anônima, que não a reconhece, a espreme, no empurra-empurra. Ninguém parece se importar com o sufoco. Ao contrário, aquela gente até gosta, quando balança, se esfregando ao ritmo da dança. Num momento em que quase todos caem rindo, se divertindo, alguém agarra Ana pela cintura, pinando na sua bunda. Outro aproveita para meter as mãos nos seus peitos. Sustentada por esses interessados, ela não cai. Tudo ocorre em pano rápido. Não há com quem reclamar.

Aquilo era uma loucura, Ana pensa. Aquele momento absurdo estava fora do tempo.

Finalmente, Ana aborda Kiko, com voz trêmula: "Preciso falar urgente com Sílvia."

Sílvia saíra há pouco para se incorporar, como figura do enredo, ao desfile da escola do Cruzeiro. Ana, então, pede que ela seja localizada o mais rapidamente possível e, enquanto espera, confessa tudo a Kiko.

Conta-lhe até da loucura, em meio a uma briga, de ter dito a seu marido que já estava grandinha para ter a vida controlada por ele, que o largaria e ainda naquela noite se encontraria com Paulinho. O ódio que Eduardo tinha do presidente era tamanho — ela explica, alarmada, a Kiko — que ela temia pelo pior. Eduardo era capaz de tudo e sabia, por ela, que Paulo Antônio havia seguido com pouca segurança por aquela estrada de terra.

Eduardo a prendera no quarto e saíra, há horas, armado de unhas e dentes, levando dois capangas. Só agora ela conseguira escapar. Já tentara se comunicar com Paulo Antônio, mas ninguém atendia aos números de telefone que ele lhe passara e, nos do palácio, não lhe faziam caso.

Por que o presidente desapareceu

A ESCOLA AGORA PASSA, EM DESVARIO, encenando a libertação dos escravos. Sílvia e Berenice juntas, na mesma escola, se fazendo de iguais... Isso é tão Brasil!

Como previsto, abrindo a comissão de frente, vem Joaquim Nabuco, vestido de aristocrata, cantando uma estrofe retirada do *Abolicionismo*.

Junto a ele, o amigo de Berenice, o que não tem vista, ensaia mais um desafio. Sua fita do Bonfim de onze meses, no braço esquerdo, ainda não caiu.

O começo me incomoda. A porta-bandeira encabeça o desfile, com brocado coberto de lantejoulas, além de uma peruca loura. E o mestre-sala, fora do ritmo, ensaia passos malabarísticos.

No abre-alas, várias correntes estalam no calçamento.

Depois das primeiras alas de passistas e de duas de crianças, nas alas de evolução, já mais bonitas, as pernas voam em passos de capoeira. A ala das baianas, por sua vez, é uma festa. Elas rodopiam ao som da música, todas de branco, como sempre, e panos amarrados na cabeça.

Ali vem Sílvia, como primeira figura do enredo, seguida, bem mais atrás, de duas encenações de Dom Pedro. A primeira inspirada na sua coroação, tal como pintada por Manuel de Araújo Porto Alegre. Na segunda, um imperador bonachão é rodeado pelo brilho e os bordados de duques e marquesas, além de princesas estrangeiras.

Como princesa, tomando alegria nas veias, feito droga, passando exuberante pela frente dos enormes painéis com as melancias cortadas, Sílvia procura uma cura para as várias formas de tristeza e promete a si mesma que promulgará uma Lei Áurea para as almas escravas. Ela crê agora que está feliz, embora de uma felicidade patética e sem propósito, e nem se importa com esses primeiros pingos de chuva.

O espírito da época vem depois, pintado em centenas de detalhes no belíssimo carro alegórico que traz, sozinho, "o Tigre da Abolição", José do Patrocínio.

Berenice, voluptuosa, está compenetrada em seu destaque como escrava. É, como eu já disse, a Xica da Silva e está rodeada de senhores. Por todos é cantada de verdade, mas não cede, séria, pois teme que o namorado, que a engravidara e depois a abandonara, e que ela não esquece, volte.

A ala das escravas, amarradas com correntes, balança os peitos, treme os quadris, requebra as bundas, ao som da bateria estridente — atabaques, tamborins, surdos, pandeiros, reco-recos, cuícas, bumbos, zabumbas.

O Brasil é mesmo o País das surpresas. Há várias delas enfileiradas em mim num engarrafamento de dados. Despacho a primeira, que chega, altissonante, pela voz grave do deputado Pedro Martins, o organizador da homenagem ao presidente. Pelos alto-falantes, ele fala do palanque carnavalesco, ladeado pelos jurados. Agora sem o paletó, mas ainda de gravata, o suor descendo-lhe pelo rosto, gesticula os braços, com as mangas arregaçadas, para a multidão assustada:

"Parece que o presidente foi morto dentro do próprio palácio. Foi visto pela última vez às seis da tarde, chegando do desfile", diz Pedro, acrescentando que o vice-presidente é um maluco eleito pelos conchavos da elite e a ignorância do povo.

"Acabamos de montar a 'Operação Resgate'. Quem nos trouxer uma pista, prometo que será recompensado. Eis nosso número de telefone."

O País não muda, falo com meus botões. Agora não há guerrilhas, nem desaparecidos. Mas, apesar de muitos acreditarem que a barbárie está superada, a qualquer momento o passado pode voltar. Cada época produz seus cadáveres, penso comigo, presa a um muro, presenciando tudo; penso mas não digo, já temendo a censura.

Checo as informações. Dado o silêncio dos guardas — e há quem diga que os que estão a postos na guarita substituem outros, que antes teriam sido mortos —, não me parece confiável a única fonte disponível que confirma, trêmula, à imprensa ter assistido à entrada do presidente no palácio: uma velha senhora gorda, de bolsa a tiracolo, que nem velha nem senhora sei se é, pois pode ser só um bêbado fantasiado de mulher.

Com esta dúvida minúscula no meu centro de processamento, me volto novamente para o palanque, onde Pedro estima que pode cortar o tempo com uma guilhotina, recomeçando a história com a redenção e a esperança e deixando lá no passado o desespero e a desgraça. Assim, pede aos presentes que se organizem em bloco para solicitar as providências necessárias. Que a resistência comece ali mesmo, agora! Estivesse o presidente vivo ou morto, era chegado o momento de fazer a revolução. O povo tinha de exigir que o País recomeçasse do zero, com governo honesto e as reformas realizadas.

No camarote, ouvindo Pedro, os lábios carnudos de Ana abrem e param, em expressão de espanto. Mãos na cabeça, ela cai ao chão em prantos.

Agora até a música pára. Encenação de drama. Pedro desce do palanque e se dirige ao camarote, em cuja plataforma Ana chora, denunciando, aos brados, que o presidente teria tomado a estrada para encontrá-la e fora assassinado por seu próprio marido, o ex-ministro Eduardo Kaufman.

A crise múltipla

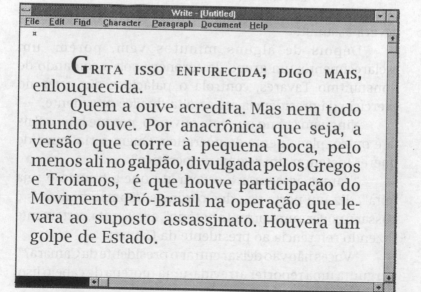

GRITA ISSO ENFURECIDA; DIGO MAIS, enlouquecida.

Quem a ouve acredita. Mas nem todo mundo ouve. Por anacrônica que seja, a versão que corre à pequena boca, pelo menos ali no galpão, divulgada pelos Gregos e Troianos, é que houve participação do Movimento Pró-Brasil na operação que levara ao suposto assassinato. Houvera um golpe de Estado.

Deixando o desfile, no que é depois imitada pela ex-empregada de Eva e o cego, Sílvia vem ao camarote, onde se junta aos amigos e colhe a versão de Ana. Tenta em seguida se comunicar, em vão, com os números do sítio, o da tia, com o do ajudante-de-ordens e outros da segurança.

Pedro Martins sugere que Sílvia por enquanto permaneça ali, para fortalecer o núcleo de resistência que deverá se formar a partir do próprio carnaval.

Sílvia fica e já recebe o convite da equipe da TV Brasília para aparecer ao vivo. Pede tempo ao repórter com vistas a trocar de fantasia e sintonizar as notícias. Ana se oferece para fazer-lhe companhia. Não tarda muito até que a elas se juntem Pedro, o Rei Momo Tarzan, Berenice, Zeca do Acrízio e Íris, além de outros amigos.

Ouvem, primeiro, pela tevê, que, como o vice-presidente César Lopes está no Japão, o presidente da Câmara deverá assumir.

Depois de alguns minutos vem, porém, um esclarecimento: um grupo de coronéis, sob o comando de Constantino Tavares, controla o palácio e diz estar no exercício da presidência até a volta do vice-presidente.

Ninguém crê no que está ouvindo, porque hoje o País já é outro, plenamente democrático. Quem seria louco de querer instaurar um regime autocrático?

"Vamos assegurar a ordem até que a transição seja feita", diz um porta-voz dos coronéis. "Só não podemos é passar o poder a um corrupto notório", acrescenta, certamente fazendo referência ao presidente da Câmara.

"Vocês não vão deixar entrar o presidente da Câmara?", pergunta uma repórter atrevida, uma morena de cabelo liso, com rosto bem expressivo.

"Estamos apenas mantendo a ordem, já disse, e também a segurança do palácio para que ele seja passado sem transtornos ao presidente ou a seu sucessor imediato. Vamos deixar entrar aqui quem o vice-presidente César Lopes determinar", explica o porta-voz, pela tevê.

"Então isto é um golpe de Estado?"

"Não, ao contrário. Tomamos o palácio para prevenir um golpe contra o vice-presidente, pois a cúpula militar quer impedir sua posse."

Os coronéis haviam emitido um manifesto, acrescenta a repórter, explicando que ocupavam o palácio provisoriamente, e como último recurso, para restabelecer a ordem e fazer cumprir a Constituição. Assumiam o compromisso de preservar as instituições.

"As únicas instituições aqui são futebol, jogo do bicho e carnaval", fala Kiko, mas Sílvia reprova, com o olhar, e ninguém acha graça.

"O chefe do Estado-Maior e os três ministros militares desautorizam a iniciativa dos coronéis", informa o noticiário, agora a partir do estúdio, para uma Ana estarrecida e os demais amigos de Sílvia, foliões atônitos que se amontoam no camarote. Esclarece que a cúpula militar não reconhece o Coronel Tavares como presidente interino, mas sim o presidente da Câmara, e exige que os coronéis deponham as armas.

"Autorizei o ataque ao palácio, uma vez esgotadas as tentativas de diálogo", o ministro do Exército ameaça.

O sangue da Nação envenenado

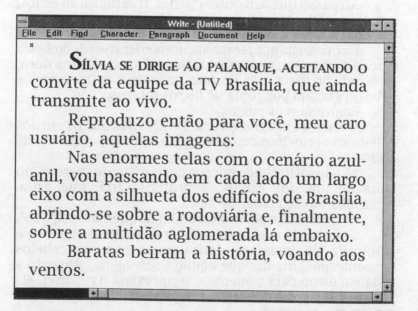

SÍLVIA SE DIRIGE AO PALANQUE, ACEITANDO O convite da equipe da TV Brasília, que ainda transmite ao vivo.

Reproduzo então para você, meu caro usuário, aquelas imagens:

Nas enormes telas com o cenário azul-anil, vou passando em cada lado um largo eixo com a silhueta dos edifícios de Brasília, abrindo-se sobre a rodoviária e, finalmente, sobre a multidão aglomerada lá embaixo.

Baratas beiram a história, voando aos ventos.

Trago do horizonte, pequena, a roqueira Sílvia Fernandes, que, já no primeiro plano, canta macio, sem acompanhamento:

É meia-noite e entra em cena o lobisomem
para sugar o sangue da Nação.
Mas escorregou no esgoto o sangue derramado
e o que ainda corre nas veias
está envenenado.

O balé dos mascarados pintados por mim de vermelho, ligeiro, toma a cena, comemorando de cerveja na mão. Ao ritmo das marchas, comanda as cenas laterais, dirigindo sua dança de passos largos para o palanque.

Mas por ora estamos salvos pela razão e os músculos "gregos" que, o rei Tarzan à frente, os enfrentam.

Então, começa uma briga entre os sambistas.

Ao passo que, em outras partes, o carnaval se estica, como se nada acontecesse, naquelas pistas do enorme galpão, garrafas são quebradas em várias cabeças.

Um magnata que recentemente perdera rios de dinheiro e, se não pusesse o resto no estrangeiro, quase ficaria duro, se diverte ao ver a cena de cima, já festeja as mudanças e bebe no gargalo por conta de lucros futuros.

Engrossam os pingos.

Ouvem-se tiros no escuro. Trazem nos braços um dos bailarinos vermelhos como suspeito, apenas porque corria aflito.

Só não foi linchado porque neste instante aparece, em cima de um dos carros, a profetisa Íris, que grita, esbugalhando seu olhar de louca:

"Não matem o pobre coitado. Eu sei que não é culpado".

Coberta de miçangas, vestida de longa veste branca salpicada de losangos dourados, e com os cabelos despenteados, Íris diz que aquilo é selvageria. Quando a roda em torno dela aumenta e se aproxima o repórter, ela afirma que se comunicara com os seres que certamente raptaram o presidente.

Encontro do quarto tipo

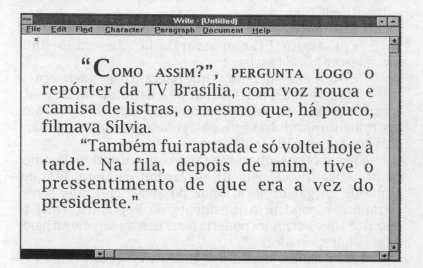

Write - [Untitled]

File   Edit   Find   Character   Paragraph   Document   Help

"Como assim?", pergunta logo o repórter da TV Brasília, com voz rouca e camisa de listras, o mesmo que, há pouco, filmava Sílvia.

"Também fui raptada e só voltei hoje à tarde. Na fila, depois de mim, tive o pressentimento de que era a vez do presidente."

"É por isso que escorre sangue do nariz da senhora?" indaga, irônico, o repórter, lembrando contudo — para que a matéria desse ibope — que a profetiza já previra há meses o rapto do presidente por esses seres.

"Olha, meu filho", ela fala muito séria, devagar e explicado, "acho que esqueci onde bati meu nariz. Pra lhe dizer a verdade, só me lembro mesmo que já era tarde quando eles chegaram e me levaram pela janela do quarto."

"Mas levaram para onde?"

"A nave baixou num campo para os lados de Abadiânia."

"A senhora conseguiria identificar o lugar?"

"É muito fácil, meu filho. Só que tem de ser logo, enquanto estão lá as marcas, umas árvores queimadas, outras cortadas", responde Íris, protegendo-se da chuva, embaixo da marquise.

"Eis aqui a dica para a polícia", diz o repórter, beirando o deboche. "Neste mesmíssimo lugar, o presidente pode ter sumido."

Acercam-se mais outros curiosos, querendo assistir à entrevista de Íris.

"E de que cor era a espaçonave?"

"Era assim branco-amarelada, de um brilho incandescente", ela esclarece.

"E o que eles querem? O que fizeram com a senhora?"

"Passei a maior parte do tempo em cima de uma mesa, sentindo muito frio. Eles tiraram minha roupa e botaram um instrumento na minha vagina. Mas era só para me examinar, pois se via que não eram maus."

"Senhoras e senhores, estamos ouvindo o depoimento da profetisa Íris Quelemém, do Jardim da Salvação, que acaba de chegar do local onde possivelmente uns seres estranhos escondem o presidente da República. Qual a descrição que a senhora poderia fazer desses seres aqui para nossos telespectadores?"

"Eram cinza, baixinhos, tinham cabeças grandes e carecas, queixos largos, olhos pretos e redondos como de gato, umas antenas no lugar das orelhas e três longos dedos saindo de cada braço."

"Como se vê, minha gente, estamos sendo caçados por seres bem atraentes", o repórter transmite a graça com toda a seriedade. "Eles disseram alguma coisa? Mandaram alguma mensagem?"

"Logo depois do exame da vagina, perdi a consciência. Quando acordei, já estava aqui. Mas noto que a temperatura de meu corpo está baixa e ouço muito barulho. A voz deles, dizendo que vão voltar para salvar a Terra da catástrofe, ainda ecoa nos meus ouvidos, que voltaram mais sensíveis. Eles querem a ajuda de todos os cidadãos cósmicos, entre os quais eu própria. Por enquanto estão coletando informações sobre o clima e a poluição na Terra, pois estão preocupados com a sobrevivência física e espiritual da humanidade."

Ecoam gritos, que concorrem com os apitos.

"Como é que a senhora sabe que eles levaram o presidente?"

"Certeza absoluta ainda não tenho. Mas tive aquele forte pressentimento."

"Por quê?"

"Melhor não falar. Ainda não é o momento. Tudo tem um tempo. Tudo tem um tempo", Íris repete, recusando-se a prestar maiores esclarecimentos.

Os barulhos distantes de uma metralhada, de explosões e também da multidão fugindo são superados pelos dos palhaços que, aqui perto, passam às gargalhadas.

Corro meus olhos pelas ruas. As linhas de luzes do Eixo Norte são serpentes velozes. Para os lados, nos gramados, as fantasias se agitam. Perto da entrada de uma quadra, os soldados marcham. Por essa altura, já há tanques nas ruas e conflitos em várias partes da cidade.

Em pouco tempo a violência é tanta, em meio ao carnaval, que, mesmo na chuva, há carros se incendiando e o Instituto Médico Legal, vejo daqui, logo se enche de gente, basicamente foliões fantasiados fuçando cadáveres, também fantasiados, uns até bem coloridos. Só não há ricos. Os mortos são todos pobres. Comprovo pelos pés rachados.

Mais notícias extraordinárias

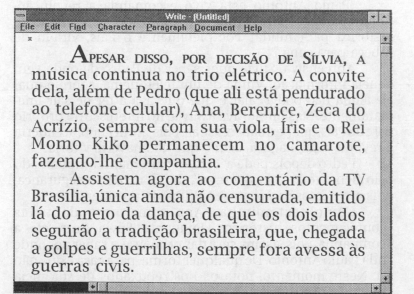

Write - [Untitled]

File Edit Find Character Paragraph Document Help

Aᴘᴇsᴀʀ ᴅɪssᴏ, ᴘᴏʀ ᴅᴇᴄɪsÃᴏ ᴅᴇ Sɪ́ʟᴠɪᴀ, ᴀ música continua no trio elétrico. A convite dela, além de Pedro (que ali está pendurado ao telefone celular), Ana, Berenice, Zeca do Acrízio, sempre com sua viola, Íris e o Rei Momo Kiko permanecem no camarote, fazendo-lhe companhia.

Assistem agora ao comentário da TV Brasília, única ainda não censurada, emitido lá do meio da dança, de que os dois lados seguirão a tradição brasileira, que, chegada a golpes e guerrilhas, sempre fora avessa às guerras civis.

Não haveria matança. Chegariam a um acordo. O mais forte não faria caça às bruxas se o mais fraco depusesse as armas.

No entanto, esclarece o noticiário extraordinário, já está acontecendo um conflito entre Asa Sul e Asa Norte.

Os coronéis controlam os blocos da Asa Sul, fala o repórter, debaixo das bananeiras de plástico. Já na Asa Norte, unidades fiéis à alta cúpula das três armas, que contam com o apoio da maior parte dos foliões, ocupam as saídas e aguardam reforços de Minas, do interior de Goiás e até do sul da Bahia.

Por coincidência, no instante em que uma garrafa se quebra na cabeça do repórter, a censura corta.

Sílvia já se prepara para ir embora, em companhia de Ana, quando ouve Pedro Martins fazer uma declaração, por telefone, para ser irradiada pela rádio pirata:

"Paulo Antônio está vivo e comanda a revolução. Conto com vocês para permanecer aqui. Esta é a oportunidade histórica para mudar completamente o País; virá-lo de cabeça para cima."

Apreensiva, Sílvia quer saber de Pedro de onde vem aquela informação. Vinha de um telefonema, sobre o qual ele ainda não podia falar e que o levava a ter de sair imediatamente. Mas implorava a Sílvia, no interesse do próprio pai e do País, que permanecesse ali, pois, ela ficando, acenderia a revolta, aqui e agora, sem o que não haveria vitória.

Pedro depois pede a Tarzan para manter mobilizado pelo menos todo o bloco "grego", até por razões de segurança, pois era necessário proteger a filha do presidente.

Como testemunha, Ana toma nota daqueles acontecimentos históricos. Enquanto Sílvia ficar, ela a acompanha, pois, assim, será das primeiras a saber por onde anda Paulo Antônio. De qualquer forma, para casa é que não irá. Neste momento, nota os fios repuxados de sua meia escura e pensa que isso ocorreu quando quase fora currada em meio ao carnaval de rua.

O que dizem os búzios

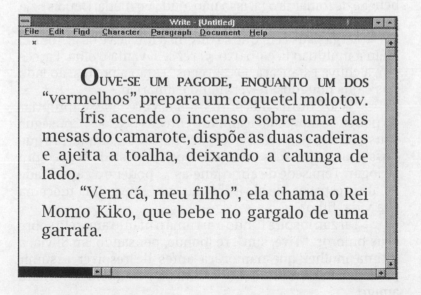

Ouve-se um pagode, enquanto um dos "vermelhos" prepara um coquetel molotov.

Íris acende o incenso sobre uma das mesas do camarote, dispõe as duas cadeiras e ajeita a toalha, deixando a calunga de lado.

"Vem cá, meu filho", ela chama o Rei Momo Kiko, que bebe no gargalo de uma garrafa.

"Sente aí. Deixe de ser rei um minutinho. Sente! Só lhe peço para apagar o cigarro. Aqui não é o ideal. Mas, como eu lhe disse, tenho os búzios comigo."

"De fato, não é o momento ideal", Kiko, ainda tomando o guaraná, tenta se livrar, até mesmo por causa do pedido de Pedro para que mantivesse o contato com os "gregos".

"Não vai tomar muito tempo. Sente aí, sente. Vejo que, além do desaparecimento do presidente, algo mais próximo de você o preocupa."

Kiko pensa em Pedro, que inclusive corre risco de vida.

Barulho dos búzios na mesa.

"Antes até da senhora jogar..."

"Você está passando por uma fase difícil, filho, vejo aqui."

O rei resolve se sentar, deixando o cetro ao lado da calunga e, no chão, o guaraná.

"Não se preocupe, filho. Primeiro você tem de parar de beber e de tomar droga. Isso não ajuda em nada. Depois seja perseverante e vai se dar bem."

Larga pausa em que se ouvem a música e os gritos em meio à multidão lá embaixo. O rei se levanta e olha. Parece que a chuva estancara. Os "gregos" estão a postos, ao lado dos cajus pintados de vermelho e amarelo.

"Vejo êxito na vida profissional. Você sabe se apropriar do poder. Se move magicamente entre as pessoas. Consegue construir seu espaço. E seu espaço tem de ser amplo, pra que possa alimentar suas energias. Você precisa de espaço pra se jogar. Tem sede de abrir janelas. O poder é a capacidade de abrir espaços, de abrir janelas. Você teve uma moça na sua vida, filho?"

Tarzan inspira fundo e arruma o manto amarelo sobre seus ombros. "Tive, sim", responde, pensando em Sílvia, a última mulher que namorara antes de resolver assumir publicamente sua homossexualidade e de quem se tornara amigo.

"Essa moça te persegue. Ela anda te amarrando pra você voltar pra ela. Eu não gosto disso. Uma vez apareceu uma moça me pedindo para eu amarrar um rapaz. Mandei ela sair. E disse: se você não tem condições de prendê-lo sozinha, não sou eu quem vai fazer isso a contragosto dele."

Ele achou engraçada a idéia improvável de Sílvia fazendo macumba e notou, num canto do próprio camarote, umas frutas e uma garrafa de cachaça, que bem podiam ser mesmo um despacho. Ultimamente Sílvia andava sozinha, ainda agora estava desacompanhada, e pedira encarecidamente a ele que lhe fizesse companhia no carnaval. Mas óbvio que ela não pensava em namorar com ele, pois agora já o conhecia o bastante e também a Pedro. E nem acreditava em orixás.

Outra pausa e barulhos de buzinas. Ao longe, para os lados do pagode, explode o coquetel molotov. O "vermelho", agora mais afoito, prepara outro, que se destina ao camarote.

"É, eu vejo aqui também triunfo total bem no centro. É impressionante."

Talvez Pedro fosse bem-sucedido na missão para a qual saíra. Lutaria ao lado do presidente, mas, como este seria morto na batalha, assumiria, como líder da revolução, o comando do governo. O carnaval continuaria, sob o reinado dele, Rei Momo Kiko, que seria até citado nos livros. Eis o triunfo que Kiko inicialmente imagina.

Depois lhe ocorre que, no fundo, para ele, isso não seria triunfo, mas um enorme abacaxi. Em matéria de política, só sentiria prazer se Pedro fosse nomeado ministro do jogo do bicho ou coisa mais divertida.

"Esta combinação domina todos os aspectos de sua vida. Você é muito exigente e muito negativo. Não seja assim tão negativo! Você às vezes acha que nada está bem, que as pessoas não são como deviam. Começa o dia bem-disposto, achando tudo muito bem, mas aí a coisa muda. Dá meio-dia, chega o desânimo com tudo. E em vez de chorar pra fora, o que ia lhe fazer bem, chora pra dentro."

Outra vez os búzios:

"Você é solteiro?"

"Sou, sim, senhora."

"Pois não por muito tempo. Você está com planos de casamento, não?"

"Não, quer dizer, não sei, tenho de ver. Agradeço muito à senhora, mas..."

"Pois você vai se casar com esta moça de que falamos. Ela é excelente, mas também muito ciumenta, é preciso que eu lhe diga. Não desperdice, case com ela. Ela vai lhe dar iniciativas, firmeza, segurança, que você, apesar de se mostrar forte, é muito inseguro. Você já falou em casamento com ela?"

"Não, não seria o caso." Ele pensa em abandonar aquela louca, que nem sequer sabe o que todo mundo sabe sobre ele, e se juntar por uns minutos aos "gregos", ainda sem se dar conta de que lá vem bomba, salvo erro.

"Mas devia. Não falo em casamento nos papéis, mas numa coisa mais profunda. Ela te compreende muito. Fizeram fuxico de você pra ela. Disseram que você tinha outra e isso a chateou muito. Ela ainda tem dúvidas. Mas gosta muito de você e confia muito em você. Depois que se casarem, o ciúme dela vai desaparecer, pois ela vai conhecer você melhor. Ela é muito sincera, não é?"

"É, sim, senhora", disse, agora pensando em Pedro, afinal os comentários bem que podiam se aplicar a ele.

Após um longo suspiro, a profetisa acrescenta:

"Apesar das aparências, você é uma pessoa reservada. Confia pouco nos outros. Não tem amigos. É daqueles que vão a um bar e gostam de se sentar num cantinho, para conversar com calma com alguém ou então ficar sozinhos. Assim como eu. Eu também sou assim. Às vezes, de noite, pego meu carro, saio dirigindo, sozinha, e depois volto pra casa. Você me vê assim expansiva, mas eu não tenho um amigo. É melhor desse jeito. Depois, eu me sinto fora desta terra, porque esta já é a nona vez que eu estou aqui e só terei de vir mais uma, para me purificar de um pecado que ainda tenho: o de não perdoar."

"Eu entendo."

"Você entende porque seu espírito é muito velho também. Eu normalmente não ponho os búzios assim, no meio desse barulho, mas decidi abrir esta exceção quando senti quem era você. Vejo que você foi muito bem criado. De maneira muito reta. Guiado pelo ideal da honestidade. E é por isso que você não vai casar com ninguém que não corresponda a esse padrão. A mulher tem de ser muito direita. E você está certo. Mas não ponha as coisas a perder. Vejo aqui outras mulheres na sua vida. Nenhuma delas vem pra lhe trazer o bem. Mas estão em volta de você e você às vezes fica fascinado por elas, não é?"

Outra pausa. Desta vez ele não quis responder, mesmo porque está concentrado no que vê: no céu escuro, voam luzes — fininhas, de todas as cores — carregando uma dúvida. Ele não sabe se são fogos de artifício ou guias de obuses.

"Você quase teve um filho, que só não nasceu porque você teve de dar um jeito. Vejo um lugar preto, um breu."

"Foi um aborto de uma namorada, num lugar escroto e meio escondido." Isso, de fato, tinha acontecido.

Berenice e o cego sentam-se à mesa próxima, intrigados com aquela conversa, num momento em que lá embaixo desfila a representação da Portela, pois se decidiu continuar a homenagem ao presidente pelas escolas do Rio.

"É, vejo que foi isso", diz Íris. "Uma coisa horrível..."

"Que eu nem gosto de lembrar. Queria só dizer à senhora que decidi não contar quem eu era, quer dizer...

minhas preferências, pra não atrapalhar muito a consulta... Eu..."

"Não importa, filho. O que você é lá no fundo de seu espírito é tudo o que me interessa. Seu nome e a sua materialidade são o de menos."

"Talvez a senhora possa me dizer por onde anda uma pessoa de que tanto a senhora quanto eu gostamos muito e deve estar agora precisando de ajuda...", diz Kiko, pensando na possibilidade de Madalena, como fizera no passado com freqüência, ter procurado a vidente.

"Como é mesmo o nome?"

"Madalena Fernandes, a ex-primeira-dama."

Berenice é toda ouvidos.

"Pode ficar tranqüilo, filho", afirma Íris. "Você quer ajudá-la, assim como quer ajudar o presidente. E isso vai ser bom pra você. No mais, não se preocupe. Ela está bem e é melhor não a incomodar."

Volta a chover, agora torrencialmente.

"Mas a senhora sabe, então, onde ela está?"

"Não posso dizer."

"Mas a senhora pelo menos confirma que quando ela chegou hoje foi ver a senhora para uma consulta?", lança a verde, certo de poder colher uma madura.

"Não posso dizer, meu filho."

Berenice dá um pontapé no cego, para ele prestar atenção e parar de cantarolar seus improvisos. Parecia-lhe que a recusa de Íris de responder indicava que Madalena, obviamente, visitara a vidente.

"Tem gente supondo que ela estivesse com o presidente, pois também anda desaparecida. Nem a filha sabe onde se encontra. De repente pode estar em perigo de vida. Se eu soubesse onde ela está, podia evitar o pior", o rei insiste.

Ao escutar aquela conversa, Berenice sussurra no

ouvido de Zeca que uma vez sua própria ex-patroa revelara que Madalena há muito queria ver o ex-marido morto. Com sua curiosidade aguçada, aproxima-se de Sílvia, a quem pergunta se, de fato, não sabe por onde anda a ex-primeira-dama, mas tudo o que ouve, em troca, é o comentário nervoso de que "no rádio, nada de novo".

Só quem nota a pergunta é Ana, que não dá bola, além do cego, que, acompanhado da viola e entre os bafos de seu charuto de palha, solta versos de um desafio imaginário com o diabo, sobre aqueles acontecimentos extraordinários.

Enquanto Berenice espera que Sílvia lhe dê atenção, Zeca do Acrízio descobre, pelo olfato, a garrafa de cachaça, cheia até a metade, num canto da parede. Fica tentado a tomar uns goles, mas teme ser castigado, pois com Exu não se brinca.

"A única coisa de terrível que pode acontecer, meu filho", Íris ainda explica a Tarzan, "é que comece a grande destruição. Nós estamos num momento de muitas mudanças. Somos já a décima segunda grande civilização humana, síntese de todas as outras. Agora vamos mudar de natureza. Entramos na era de Aquarius. Mas para que a humanidade possa ser feliz nesse próximo milênio isso não basta. É preciso que o mundo seja purificado pela destruição, que mais cedo ou mais tarde vai chegar. O presidente foi levado para ajudar a adiar a destruição. E, aliás, mesmo que ela comece, não prevejo problemas para ele, nem para a ex-primeira-dama. Ele foi das primeiras pessoas a serem selecionadas pelos seres superiores, os extraterrenos que já têm nos visitado. Esta não foi a primeira vez que eu tive contato com esses seres. Uma vez eu já tinha tido uma visão, me comuniquei com eles e foi justamente dona Madalena quem me salvou do choque que levei. Ela vai ser recompensada. Está escrito em *Nostradamus:* os extraterrenos vão descer aqui, vão levar algumas pessoas para uma caverna que fica para os lados da Chapada dos Viadeiros, conhecida como a caverna do Alemão. E a partir de lá vão comandar a nova alvorada da Terra. Vá em paz, meu filho, e não se preocupe com dona Madalena."

Desconfiança

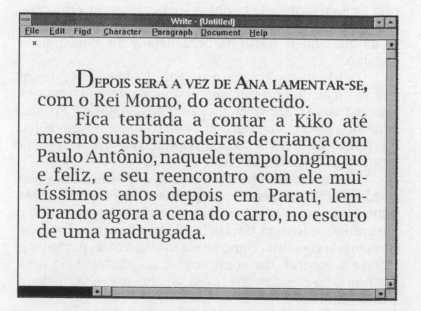

DEPOIS SERÁ A VEZ DE ANA LAMENTAR-SE, com o Rei Momo, do acontecido.

Fica tentada a contar a Kiko até mesmo suas brincadeiras de criança com Paulo Antônio, naquele tempo longínquo e feliz, e seu reencontro com ele muitíssimos anos depois em Parati, lembrando agora a cena do carro, no escuro de uma madrugada.

E se o caro usuário não faz absoluta questão dos detalhes, sugiro que, por pudor, pule esta parte das lembranças de Ana em que ela sentiu medo e fascínio, quando Paulinho levou as mãos dela àquela escultura escura, àquele totem, que subia, em forma de cogumelo, crescendo, duro, na sua frente; e depois a puxou em direção à cabeça lustrosa e preta, ali embaixo, que ela, com olhar corajoso, enfrentou e até achou bem-feita.

Como se participasse de um cerimonial sagrado, beijou-a com carinho e, deslizando vagarosamente os lábios, fez da boca o sexo. Sentindo aquele gosto agridoce do gozo, ela se entregou aos dedos de Paulinho, que a exploraram lá dentro.

Aqueles gestos a violentaram prazerosamente. Permitam-me dar a imagem exata do pornográfico: calcinha baixada até o meio das coxas, cobertas ainda, com pudor, pelo vestido longo, ela também gozou. E sentiu vergonha. Nunca imaginara que aquela situação seria possível. Lembra-se de que aquele gosto na boca depois lhe dera nojo e engulho.

Desde aquele encontro em Parati, quando decidiram que era mais importante serem amigos do que amantes clandestinos e ela prometeu a Paulinho o jantar para o qual Eduardo convidaria empresários-chave para a campanha, não tinham mais se visto a sós, na intimidade, a não ser nesta desgraçada noite de carnaval.

Certos acontecimentos só enchem o tempo, mas não a vida, feita de esperas e surpresas. Outros, como estes poucos encontros com Paulinho, ao contrário, por loucos e absurdos que fossem, davam impressão de serem feitos de um sentido absoluto, como se ela tivesse vivido para eles e ficasse a esperar sua continuação, no contexto de uma história cujo seguimento traria, finalmente, a verdadeira paz de espírito.

Esperava que Paulo Antônio estivesse, de fato, vivo, como Pedro dissera.

Triste, ouvindo a chuva, a música, Ana pensa em contar essas coisas a Kiko, mas prefere se conter. Ele não poderia entendê-la. Limita-se a fazer-lhe confidências sobre a reação de Eduardo ao saber do possível encontro com Paulo Antônio.

Cansado de esperar Pedro, que há horas saíra, Kiko, ouvindo aquela história, já desconfia que o presidente fora mesmo morto pelo ex-ministro. Acha, além disso, que Pedro lhe pregara uma peça.

Tenta uma vez mais localizá-lo. O amigo da emissora clandestina confirma que a última notícia lhes fora passada, de fato, por telefone, pelo próprio Pedro.

Após a música, vêm novamente as notícias:

"Sintonize na rádio livre, a única que transmite os acontecimentos que abalam o País. O presidente Paulo Antônio Fernandes conseguiu, com a ajuda de tropas fiéis, fugir aos golpistas que pretendiam assassiná-lo. Dentro de mais algumas horas, ele falará à Nação, pela rádio livre, para orientá-la na luta contra os que querem solapar o poder. Fique sintonizado aqui, na rádio livre".

Uma onda forte de entusiasmo e alegria, provocada por aquela notícia, expulsa os inimigos das pistas e muda até o destino do coquetel molotov, que voaria ao camarote, cujos ingredientes explodem nos braços do "vermelho".

A TV Brasília — a rádio informava — continuava ocupada por simpatizantes de Pedro, que diziam apoiar a invasão das multinacionais, apesar das declarações dos líderes sindicais de que nada tinham a ver com eles.

Indiferente à explosão, inclusive porque era impossível distingui-la dos trovões, Sílvia muda de estação.

"O ministro do Exército", fala a nova emissora, "apresentou provas de que o chefe do movimento de ocupação há meses tramava o golpe no seio do Clube Militar."

Tarzan, já cansado de esperar, ouve depois, surpreso, a voz do coronel Constantino Tavares, em cadeia nacional:

"Quero desmentir categoricamente que tenhamos cometido qualquer ato contra Sua Excelência o Senhor Presidente da República, que, se for localizado com vida, reassumirá suas funções. Não temos qualquer indicação sobre seu paradeiro. Seu desaparecimento está, contudo, sendo investigado e, isso, em profundidade. Transmitiremos o poder ao vice-presidente, doutor César Lopes, tão logo se restaure a ordem."

Lá embaixo, pelo rádio, ainda em meio ao carnaval, a multidão ouve descrente (pois desta vez parecia diferente) a voz do comentarista, que dizia... que guerra pra valer não haveria; que este era um País cordial, e a mobilização se limitava à infantaria.

A alegria durou pouco e a espera foi crescendo. Do presidente ou mesmo de sua anunciada declaração pelo rádio, até agora nada!

Por essa altura já circula o boato, entre muita gente, de que fora o grupo que escoltara o presidente até o palácio o responsável pelo fim que lhe fora dado.

O Rei Momo protesta. Diz que isto é um absurdo. Depois explica a Ana que a culpa era de Pedro, pois, estando há tantas horas ilocalizável, se tornara suspeito do seqüestro ou até da morte do presidente.

Já faltam a Kiko argumentos que convençam da necessidade de resistência, debaixo daquela chuva intensa, ou que expliquem o súbito desaparecimento do namorado.

Tinha sido bruxaria de um amigo, pensa consigo; não, inimigo, bicha ressentida, um "grego" que se fora mais cedo. Era provável até que ele tivesse saído com Pedro.

Samba de breque secreto

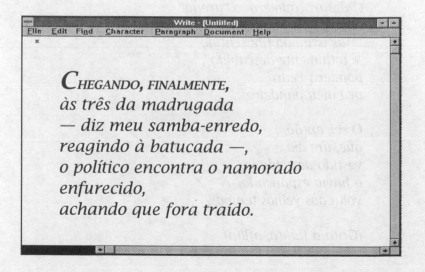

CHEGANDO, FINALMENTE,
às três da madrugada
— diz meu samba-enredo,
reagindo à batucada —,
o político encontra o namorado
enfurecido,
achando que fora traído.

Explica-lhe que saíra a trabalho,
fora em missão secreta,
para salvar
o presidente.
Mas o esquema fora falho,
conforme contaria
minuciosamente
— envolvido pelo ritmo,
faço o samba de improviso.

"Missão secreta é o caralho!
Você continua um fingido,
querendo passar por sabido.
Seu veado!
Você saiu foi com aquele desgraçado!"
Retruca Kiko,
no ritmo da cuíca.

O desgraçado era o "grego"
que se fora mais cedo.
"Mas isso não faz sentido,
é totalmente descabido",
pondera Pedro,
pra meu pandeiro.

O rei, então,
que, um dia,
vestido de soldado,
o havia espancado,
volta aos velhos tempos.

(Grita a flauta, aflita)

Não só não atende ao pedido
para que ouça o esclarecimento,
mas também desfere-lhe um golpe violento
— de todos os sambas de improviso,
permita que eu lhe conte
na própria forma do samba,
aquele era o mais dramático.

(Trombones, baixos)

Ana ouve o barulho,
e, quando chega,
encontra Pedro
ferido.

(Gritos)

Tentando evitar
um vexame,
ainda combalido,
Pedro consegue explicar
o acontecido.

(Bate forte o tamborim)

Num telefonema anônimo
para o número divulgado,
um sujeito que não sabia
a que grupo pertencia
nem que causa defendia,
usando a prova
de uma fita gravada
com a voz de Paulo Antônio,
reivindicou

o seqüestro
e pediu um resgate.

(Chora o ganzá
e rebate
o agogô)

A fita serviu para convencê-lo
de que o presidente estava vivo.
Então, começou
o pesadelo
da negociação com os bandidos.

Disse Pedro:
"Posso pagar imediatamente o dinheiro,
se vocês gravarem outra fita,
cujo texto é preciso
que eu explique
— até por telefone —
ao presidente."

(Vem um breque)

"Se o senhor acha
que a gente
é otário,
o senhor está
enganado."

(Outro breque)

"Basta, então,
vocês passarem um recado."

(Rói raivoso o reco-reco)

O negócio foi, então, combinado:
o dinheiro pela gravação,
em duas horas no máximo.
Só que com uma condição:
Pedro vir desacompanhado
e trazer o telefone celular.

*(Ecoa o bumbo,
sem rima)*

"O senhor tome cuidado.
Não queira aprontar armadilha,
ou não escapa com vida."

(Tambores)

Quanto ao recado,
prometiam que seria dado.
Falasse imediatamente.
Tinham ali um gravador
de pilha.
A fita
seria logo ouvida
pelo presidente.

(Sibila o apito estridente)

Ao desligar o telefone,
depois de falar tudo
o que lhe viera à mente,
ocorreu-lhe que o esquema tinha furos.

(Tremem os surdos)

De fato, haviam combinado
um lugar no escuro,
um descampado
bem perto da capital.
Com a ajuda da Polícia Federal,
era fácil
montar uma armadilha
para apanhar a quadrilha.

(Coloco aqui uma batida legal)

Concluiu, entretanto,
que o País sairia ganhando
se Paulo Antônio,
mesmo seqüestrado,
desse a impressão
de assumir o comando
de uma resistência vitoriosa.

(Ainda os bombos)

"Que bosta!"
o rei insulta.

"Ou, num desdobramento diferente",
conserta Pedro,
"se fosse possível
comprar logo a liberdade
do presidente."

Só se o dinheiro do resgate
fosse insuficiente

e se provasse necessário
um trabalho adicional
para libertar o presidente,
avisaria à Polícia Federal.
(Mas talvez ela estivesse
do lado adversário.)

Chegando, por fim, ao lugar,
os bandidos o guiaram
por telefone celular.
Após praticarem o roubo,
acharam o dinheiro pouco
e disseram para calar,
se não quisesse ser morto.
A fita entregavam mais tarde.

(Elipse)

Após tudo esclarecido,
Tarzan se convenceu
de que Pedro
falava a verdade
e deu um beijo na boca
do namorado.

Para não passar por ridículo,
disse que aquele roxo no rosto
do amigo
fora resultado
de atentado
político.

(Apresso o ritmo)

Pedro conta, em grupo restrito,
de um telefonema dos bandidos
e até das imediações
de onde poderiam se encontrar.

Não quer, porém, revelar
que estivera com eles,
pois seria arriscado
e até mesmo impróprio.

Sobretudo não pode contar
que fora ludibriado.
Mas com isso reforça as suspeitas
sobre ele próprio.

(Depois dessa,
peço-lhe,
meu caro usuário,
neste ponto,
que cante um samba
e entre para um bloco.)

Da diferença entre
as transmissões
por cabo e pela mente

```
Write - [Untitled]
File   Edit   Find   Character   Paragraph   Document   Help
```

ENQUANTO CUIDAM DOS FERIMENTOS DE Pedro, o palanque, lá fora, está ocupado pela profetisa Íris Quelemém, que capta a mensagem confirmando que o presidente está salvo, mas muito longe, não sabe bem onde. Captara, disse, por transmissão de pensamento.

Como só capto transmissões por cabo, aquelas não penetraram meus poros eletrônicos. Definitivamente, não sou ligada em transmissão de pensamento; só em corrente.

Assim, apesar de minha intimidade com Íris e mesmo que eu tomasse aulas com ela, continuaria me sendo impossível captar este tipo de mensagem. Íris tem prática, mas explicação técnica, quando telepática, é, para mim, incompreensível.

Além disso, a equipe que me programou me impôs esta camisa-de-força: a palavra, sem a qual neste programa eu não me conectaria. Mas uma razão ainda mais fundamental, esquecida até pela teoria do caos, me dificulta a comunicação com extraterrenos: só posso me entender com o homem, meu deus e criador.

Talvez eu soe pernóstica. Afinal, sou máquina. Mas o que importa é a verdade. Ei-la:

O cachorro que farejou o crime

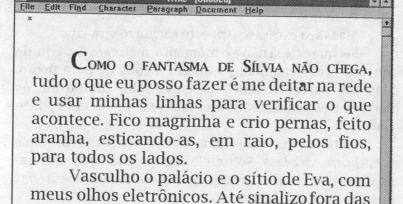

De qualquer forma, minha história seria tão exterior, por deixar de lado a mente do presidente, que prefiro mesmo esperar por Sílvia, que já me anuncia, com pingos cada vez mais grossos, que está por vir, trazendo sua versão.

Eu me desculpo. Voltando atrás, revendo tudo, quadro por quadro, noto felizmente neste ponto um tranco.

Mesmo sendo falha a minha comunicação com o carro do presidente, a janela minúscula, de fibra ótica, ótima inovação tecnológica, me permite ver um cão.

Antes de inserir aqui exatamente o quadro que enxergo, deixe-me esclarecer a você que não almejo glórias nem fins didáticos. Quero apenas preencher o tempo com pensamentos voláteis. Não vou falar do sono, nem do silêncio, que não conheço. Não exprimo amores absolutos nem ódios mortais, que não entendo, pois tudo em mim é neutro. Nem o vazio. Tampouco sonhos, além daquele abrangente, que compreende tudo o que conto. Sequer ouço cães que ladram pelas estradas.

Mas faço exceção para este cachorro vira-lata.

Sei que este já não é o momento, meu caro usuário, de mostrar cenas enigmáticas, muito menos de pura ficção. Mas me parece demasiado enfadonho limitar-me às perspectivas humanas, sobretudo quando são tão pouco claras.

Abro, então, está decidido, este espaço para o Azeitona, o cachorro vira-lata. Sobre ele digo apenas que tem um espírito mais nobre e elevado do que o humano, apesar das crenças budistas e cristãs.

Você provavelmente me chamará de louca e se perguntará o que tem o cachorro a ver com esta zorra.

Explico, contudo, o que está acontecendo precisamente agora e talvez você concorde que é melhor continuar a história. Numa estradinha de terra, dois carros bloqueiam um terceiro, que logo aparece, de porta aberta, espirrando um cadáver.

Azeitona, o cachorro vira-lata, quer cheirá-lo, mas quase também é morto. (Considerando que os pássaros fugiram, ele é a única testemunha ocular do reino animal, além de formigas, que posso chamar aqui, pelo menos até este momento. Esta é a verdade crua e nua. Digo até este momento, porque, mais tarde, quem sabe, aparecem os urubus.)

A ex-mulher é suspeita

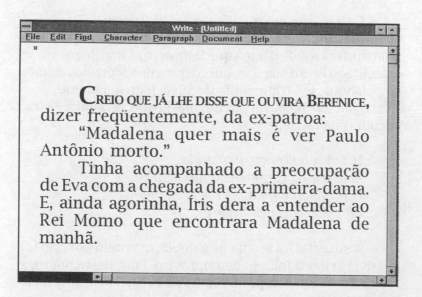

CREIO QUE JÁ LHE DISSE QUE OUVIRA **B**ERENICE, dizer freqüentemente, da ex-patroa:

"Madalena quer mais é ver Paulo Antônio morto."

Tinha acompanhado a preocupação de Eva com a chegada da ex-primeira-dama. E, ainda agorinha, Íris dera a entender ao Rei Momo que encontrara Madalena de manhã.

Mas Berenice não precisava de informações recentes para suspeitar da ex-primeira-dama. Já na primeira vez, a vira com cara de assassina.

A hipótese de ter sido a ex-mulher do presidente a culpada por seu desaparecimento só vem a se tornar boato, porém, um pouco mais tarde. Isso ocorre após a cantoria improvisada, em cima do acontecimento, pelo cego amigo de Berenice, o poeta do Juazeiro, que passa o carnaval em Brasília.

Um dia, lá na praia da Taíba, quando Zeca do Acrízio adivinhou o sol enorme que se punha sobre as dunas, cobrindo tudo, a lagoa, as ilhas, os coqueiros, os rostos deles, com um vermelho quase sangue, Berenice lhe contara que nunca tinha saído de sua cabeça dona Eva, desesperada, procurando dona Madalena, pois achava que a ex-primeira-dama era capaz de driblar a segurança e assassinar o ex-marido.

O que ele ouvira há pouco da própria Berenice, indignada ao saber que o presidente era agora desaparecido político, fora a gota d'água que faltava para fazê-lo procurar o deputado Pedro Martins, que, depois de socorrido, voltara ao palanque, em companhia de Sílvia e do Rei Momo.

Quando o cego foi finalmente ouvido, revelou a Pedro, já com rima de folheto:

"Com sua licença, deputado:
houve uma confluência dos azares.
O presidente foi morto pela ex-mulher;
não pelo coronel Tavares."

A suspeita foi levada na galhofa, mas nem por isso foi possível evitar o folheto de improviso. Pois, neste ponto, a fita do Bonfim se rompe no punho do Zeca. O pedido que ele tinha feito, que agora, portanto, poderia realizar-se, era de um dia na vida ser alguém. Interpreta que é chegado seu momento de glória e não pode, assim, perder a oportunidade. Resolve botar a boca no trombone. Acompanhado de um triângulo e da viola e para encanto do Rei Momo, o namorado de Pedro, recita ao microfone, como se estivesse na feira do Juazeiro:

Meu Padim Ciço Romão,
pra esta história contar
peço-lhe a inspiração,
pois não é fácil provar
que os crimes do coração
não se deve perdoar.
(Dindindom, dindindom, dindindom.)

Gente querida, atenção
a esta história exemplar:
não foi só coincidência,
como quero demonstrar,
o presidente sumir
e sua ex-mulher chegar.
(Com curiosidade sociológica,
Ana olha de binóculo.)

De Paris ela voltou
carregada de ciúmes.
E num encontro com ele,
hoje expôs seus queixumes:
"Escutei certas histórias.
Quero saber se assumes".
(Buiuõe, buiuõe, buiuõe.)

Madalena reclamou,
como ex-primeira-dama,
dos amores do ex-marido,
de que corria má fama.
Ele era um libertino
e se afundava na lama.
(Conseguem
tirar o cego
do palanque,
mas ele segue
cantando
num megafone.)

Paulo Antônio respondeu
que seria o mais direto.
Que, naqueles seus encontros,
sempre fora bem discreto.
Não levava a segurança
e eram em lugar secreto.
(Cai agora sobre Ana
uma chuva de confetes.)

Nada podia fazer.
Era assim desde menino.
E apesar de engrandecer
o espírito feminino,
nunca deixava de ser
o ciúme um desatino.
(Zeca do Acrízio transmite
aqui a ira do presidente.)

Ela achou um desaforo,
logo gritando: "Cretino!
Já perdi a paciência;
e vou lhe dar um destino".
E assim falando aflorou
seu instinto assassino.
(Ouve-se uma ovação,
quando Zeca acusa Madalena
claramente.)

Não era sua intenção,
mas foi com gesto demente
que, em meio à discussão,
ela enfiou, de repente,
a faca no coração
do ex-marido presidente.
(Drindrindran, drindrindran.)

Com ele fará certamente,
eu lhes digo entristecido,
como uma mulher indecente
que conheci no sertão,
que porque matou o marido
agora está na prisão.
(Blon, blon, blon.)

Dele ela fez uma múmia
e guardou-a num porão,
num lugar muito distante,
para ninguém pôr a mão
e onde sempre ia vê-lo,
dia sim e dia não.

Cada vez que ali chegava,
ficava nuinha em pêlo.
Fingia que fornicava,
com o mais profundo desvelo.
E depois muito chorava,
por já não poder mais tê-lo.
(Iêrruu, iêrruuu!)

Várias conclusões se tiram
desta história escabrosa,
que juro não ser mentira,
pois não tou aqui pra prosa;
que desperta minha ira
e também a minha glosa.
(Zeca se refere à história
do assassinato do presidente
por Madalena.)

Uma dessas conclusões
tem, porém, a precedência:
quando a maldade se mostra
na perda da paciência
e se mistura ao ciúme,
não adianta a ciência.

Assim uma psicanalista
cometeu uma loucura,
sem deixar nenhuma pista.
Não sei como Deus atura,
pois a ele está à vista,
na Terra, esta criatura.
(Ouvem-se aplausos e gritos.)

Peço a Deus tenha a bondade
de guiar os brasileiros,
pois uma desumanidade
os deixou sem o governo
e, pra dizer a verdade,
no meio do desespero.

Paulo Antônio, sua glória,
conto tintim por tintim,
noutro dia, não agora,
pois o cordel tá no fim.
(Zeca é coberto de serpentinas,
quando se ouve o flautim).

Zangado, pois esta história
É de uma mulher chinfrim,
Coloco minha oratória
A serviço de um só fim:

Dizer sem medo tudo
O que está dentro de mim.

Aquilo que o povo sabe,
Conformado e ao deus-dará,
Ruminando sua fome,
Intuindo o que virá,
Zeca do Acrízio dirá,
Indicando aqui os crimes que
O povo vingará.
(Dindá, dindá, dindá.)

A roda que se formara em torno ao cantor popular vibra com suas rimas divertidas.

Embora a maior parte só ria, alguns levam a sério aquela possibilidade, pois era conhecido o ciúme da ex-primeira-dama, o qual, ao que parece, fora a principal causa de sua separação.

Sílvia quer saber quem é mesmo aquele cego e chama Berenice para reclamar do que ouviu.

Berenice defende o amigo. Afirma que Zeca do Acrízio é livre para fazer o que der na telha. Além do mais, tudo é permitido num carnaval. Se estava achando que aquela história não tinha fundamento, falasse com sua tia. Em último caso, se fosse um equívoco, bastava Madalena aparecer e desmentir.

Sílvia, zangada, dá ordens para que, a partir de agora, barrem na porta do camarote o cego e, de resto, a própria Berenice, que, expulsa, tem um desmaio, forçando Sílvia a acudi-la.

Já acordada, a ex-empregada de Eva delira, repetindo várias vezes que desfalecera de medo, porque vira Sílvia em tamanho gigante e com rosto envelhecido.

Íris, que voltara a empunhar o bastão com a calunga na ponta, se solidariza com Sílvia pela decisão acertada de dar um basta nessa gente demente. Além disso, confirma que o presidente está vivo e até dá o endereço: está lá mesmo na Caverna do Alemão, como ela havia previsto. Aposta que, a qualquer hora, ele está de volta.

Um gozo completo

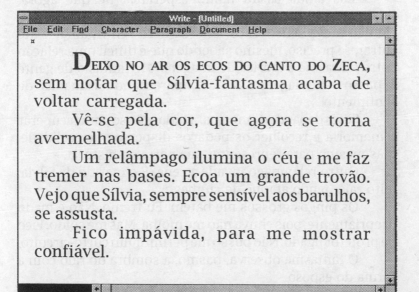

DEIXO NO AR OS ECOS DO CANTO DO ZECA, sem notar que Sílvia-fantasma acaba de voltar carregada.

Vê-se pela cor, que agora se torna avermelhada.

Um relâmpago ilumina o céu e me faz tremer nas bases. Ecoa um grande trovão. Vejo que Sílvia, sempre sensível aos barulhos, se assusta.

Fico impávida, para me mostrar confiável.

Para recepcioná-la à altura e me dedicar melhor a ela, crio-lhe uma câmara acústica, dentro da qual ponho algo suave, primeiro Bidu Sayão interpretando Villa-Lobos e depois Egberto Gismonti.

Vemos lá fora, embaixo, os movimentos das cores, dos corpos na dança e também das bocas, que se abrem expressivamente em cantos que daqui não se ouvem.

Relaxamos um pouco. Não quero fazer mais nada a não ser ficar com Sílvia, assim meio desligada. Daqui a pouco, a convido para pular carnaval comigo.

Sei que não tenho sentimentos para amar Sílvia. Minha vida é programada, prevista, previsível. Além disso, se , de um lado, temos em comum, de par com o feminino, a imaterialidade, de outro nos faltam os contrastes, que dão substância às relações.

Mas ainda assim tenho esperança de que agora, finalmente, algo entre nós surja, sobretudo porque de mim ela não move seus ternos olhos. Quero sentir, amar e até sofrer, se preciso, mesmo sabendo que é difícil uma relação entre fantasma e fábrica de imagens. Me fantasio de gente e passo maquiagem na face, aparentando camadas de sentimento.

Sílvia depende de mim para tudo, não só para recuperar a memória e recolher os pedaços dispersos de realidade, mas mesmo para representar sua parte da história.

Outro relâmpago invade a cena. É o marido de Sílvia, feito raio, tendo ataque de ciúmes.

Os pingos grossos me batem. Eu tremo. Não é medo propriamente, pois chuva não me molha. Mas me cuido. Fico de protetor ligado. Não posso me permitir um curto-circuito.

O fantasma observa, pasmo, a sombra do raio com a forma do esposo.

Os trovões pipocam, ribombando.

"Melhor continuar espírito errante a ter de me submeter

a este sacrifício", o fantasma de Sílvia me confessa. Depois me pergunta se pelo menos incluí os textos analíticos do historiador.

Reconheço que não os reproduzi *ipsis litteris* e sugiro que agora não é hora, que fique a elipse, pois estou ansiosa por ouvir as novidades que ela traz.

"Seria bom encená-las já agora", falo, muito falsa, para compensar os versos do cego, que Sílvia-fantasma ainda não ouviu.

"Como poderei ter certeza de que você será verdadeira e não desvirtuará a história?", pergunta-me, encarnada, toda luminosa.

"Não vou simular nada além do instalado em minha memória."

"Não vá mentir."

"Só homem mente. Mesmo que eu quisesse, não conseguiria. Quem não tem consciência não mente."

"Estou mesmo precisando desabafar. Mas quero, por favor, que você por enquanto continue seu improviso e guarde minha materialização num arquivo secreto exclusivo."

"Pronto. Já abri, exatamente como você pediu. Só você terá acesso a ele."

"Paguei um preço demasiado alto por minha curiosidade. Presenciei o que não queria. Mesmo para um fantasma, não foi nada fácil."

A chuva é tanta que até as paredes suam. Devido a uma goteira sobre minha cabeça, mudamos de lado.

Sílvia, ainda iluminada, se vê bonita. Porque quero tê-la próxima, insinuo-lhe que transmita a descida sobre seu pai a partir de mim.

Sinto agora o fantasma em minha imagem. Ela veio por conta própria, sem que eu tivesse de insistir. Por falta de espaço, eu e ela nos interpenetramos, o que provoca uma interferência excessiva em nossa comunicação, gerando ruídos, que acabam criando confusão em nosso diálogo.

Mas nem precisamos conversar. Ela atravessa meus nervos como um vento e eu a sinto por dentro, nós duas flutuando na caixa transparente, sobre os cortejos de alegria.

Sílvia e eu ali estamos, uma dentro da outra, as duas do mesmo tamanho, e acho que já é tempo de estabelecer um vínculo direto, mesmo íntimo, com ela. (Noto que Íris me olha, enciumada, lá do passado, e me faz mandinga. Mas nem ligo. Só fecho a cortina da câmara acústica. A profetisa tem, de longa data, uma atração por mim, apesar de eu lhe negar acesso automático a meu cérebro.)

Agora que minha comunicação se restabelece com Sílvia, espero que ela se abra comigo. Nossos espíritos estão desarmados. Eu tenho a impressão de que, pela primeira vez, nos entendemos.

"Pode confessar sem medo aqui para a Gigi, de coração aberto, o que descobriu em seu passeio pelo cosmos."

"Acho que estou com um bloqueio."

Penso que talvez seja porque minha presença, ali dentro, a emocione.

"Se você prefere, varro seu cérebro."

"O que é que eu tenho de fazer?"

"Nada. Nem dizer uma palavra. Basta relaxar a cabeça. Leio o que você captou e transformo aquilo em estruturas lingüísticas."

"Não, não confio em autômato para isso."

"Não sou mais quem você conheceu em vida. Evoluí. Garanto que agora sei contar histórias."

"Isso é muita pretensão sua."

"Você se engana, minha querida. Aliás, não tenho mérito especial em nada disso. Qualquer computador de última geração, desde que bem alimentado, faria o mesmo. Pode confiar em mim."

"Continuo achando que não dá, porque, além do mais, você tem um problema gravíssimo, de estilo. Você sabe que já lhe dei muitas chances, mas você não se liberta dessa linguagem empolada, estranha, de máquina, que, além do mais, nem corresponde a um estilo próprio", diz Sílvia.

"Mas tenho minha marca. E acredito que o estilo é a máquina. O meu é brasileiro deste fim de século — desbocado, mas capenga e aleijado."

Penso que a convenci, pois ela, então, me alimenta cuidadosamente, como a um doente.

Algo como um óleo brota de meus *chips*, na hora em que, num lamento, ali na câmara acústica, ela me transmite a história.

Penetro-a tanto que me confundo com ela. Sinto prazer com isso. E mais, sem crer que seria possível, gozo um gozo completo.

Entra a ala dos mendigos

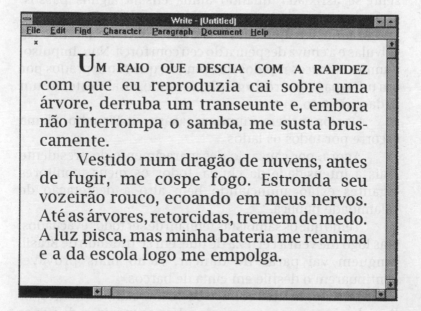

Procuro captar o raio, mas ele foge rápido.

Aturdida, a multidão de Íris, maracatu inclusive, se dispersa.

Lá no galpão, Berenice sente um frio na barriga.

Sílvia fica lívida.

Pela proximidade com uma de minhas fontes, noto que se trata de novo atentado do fantasma de Mário, o marido de Sílvia. Deve sentir-se mal com essa experiência que faço com sua mulher-fantasma, tanto mais porque naquele carnaval, lá no passado, ele ficou em casa, gripado e concentrado num roteiro inacabado.

Fugindo da água, os sambistas agora se refugiam no galpão. Fica mais difícil vê-los. Por isso me transporto para um monitor mais próximo.

O espaço está lotado feito sardinha enlatada. Berenice sente-se asfixiada, quando ainda ensaia alguns passos, imprensada em meio à multidão de dançarinos.

As nuvens que ainda estavam contidas abrem suas válvulas e a chuva despenca do céu com força. Num impulso, ilumino os riscos rápidos dos pingos, que são soprados por um tufão para dentro do galpão, levando, na ala leste, até um pedaço do teto.

Os rios enchem, inundam casas e, do Planalto, a lama escorre por todos os lados.

Agora, por causa do desaparecimento do presidente mais a intensidade da chuva, todos os meus monitores gigantes estão anunciando bem alto a decretação de calamidade pública.

Temo que os sambistas tenham de ser todos evacuados. Mas logo me vem a certeza de que, em se tratando de Brasil, ninguém vai parar de dançar. Acho mais provável continuarem o desfile em cima de barcos.

De fato, muitos foliões se encharcam, contentes, se lixando para os acontecimentos. Vários meninos de rua se banham na lama. Em frente ao palanque, onde os jurados ainda dão notas, percebo só agora, duas moreninhas de peitinhos duros exibem suas blusas transparentes.

Sobrevoando, vejo que as cores se movimentam molhadas, do branco ao verde, do azul ao rosa, amarelas ou vermelhas.

A multidão embaixo, portanto, ainda se esbalda, Berenice inclusive, que saiu à rua e cujos cabelos pretos e molhados escorrem, feito torneira, sobre os ombros cor de chocolate. Ela continua desfilando seminua, agora sem as estrelinhas dos peitos, mas portando, sobre os ombros, muitas serpentinas desfeitas.

Quanto ao cego, seu amigo, depois de várias cachaças, já às quedas, volta a cantar seus versos lá perto das mangas-rosa, fazendo enorme sucesso.

A maioria acha que, para enfrentar essa intensidade de desgraça, só rindo.

Devo dizer, contudo — sejamos justos —, que nem todos se divertem. Esses meninos magrelos da favela, por exemplo, sentem fome só de ver, nos painéis gigantes, aquelas bananas que acenam, tão amarelas. E um pobre coitado, já velho, que não saíra de casa e não tem onde cair morto, pois até a cova virou poça, a esta hora chora, acrescentando suas lágrimas à água.

Se eu pudesse, me desligava da festa, fechava os olhos, tapava os ouvidos e, fazendo-lhe companhia, chorava com ele um pouco. Sei que o choro tampouco levaria a nada, mas pelo menos curava minha apatia.

A água passa volumosa, levando galhos, lavando pecados, mas também trazendo mendigos, sobretudo porque toda a população que mora nos túneis sujos e escuros que cruzam o eixão da Asa Norte sai da toca, para não ser morta.

Por essas alturas, os mendigos, que são tantos, já quase não têm chão em que deitar e procuram algum refúgio em qualquer parte da cidade.

Chegam, então, em grande número, ao galpão do samba. Presencio a briga por causa deles. Um tipo metido a leão-de-chácara quer expulsá-los, pois, além de feios, fedem, mas por fim é domado.

E como vão se acumulando aos montes, perto da porta, dançando juntos, eles formam uma ala nova, fétida, em volta daquelas de classe média.

Um pontapé me atravessa

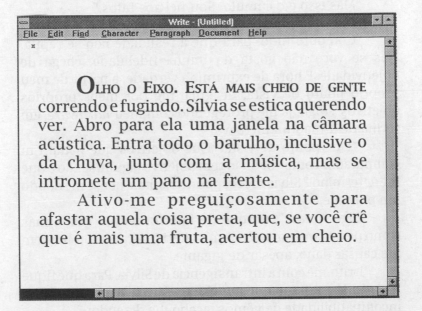

OLHO O EIXO. ESTÁ MAIS CHEIO DE GENTE correndo e fugindo. Sílvia se estica querendo ver. Abro para ela uma janela na câmara acústica. Entra todo o barulho, inclusive o da chuva, junto com a música, mas se intromete um pano na frente.

Ativo-me preguiçosamente para afastar aquela coisa preta, que, se você crê que é mais uma fruta, acertou em cheio.

É um mamão aberto, com muitas sementes no meio. Sílvia escapa e reclama, já suspensa sobre a lama, do barulho e até da música.

"Este planeta de longe engana. A gente o vê azul e nem desconfia desta lama", comenta.

Quando ouve, finalmente, os últimos ecos da cantoria do cego, o fantasma de Sílvia, cruzando pingos, se incha de raiva e baixa feito um azougue sobre mim, para protestar contra a encenação, e tenho com ele um diálogo em altíssima rotação:

"Não gosto nada do que estou ouvindo. Se não mudar de rumo, eu a contamino. Ou a invado com um cavalo."

Respondo, no meio da zoeira, àquela Sílvia inchada feito balão gigante, ainda vestida com a elástica camisola branca:

"Mas isso é o cúmulo. Sou fiel aos fatos."

"Por isso mesmo, cuidado! Ou jogo você aos trapos."

"Computo tudo, para que a realidade não se repita. Mas se você não gosta de minha fidelidade, chega de objetividade. É hora de exprimir a verdade, a partir de meu próprio ponto de vista; de guiar-me por meus próprios objetivos", digo, já me protegendo com meu *hardware*, em forma de armadura medieval.

"Que ponto de vista? Que objetivos que nada! Um computador como você não tem objetivo algum, senão o que lhe determino!" Sílvia me responde, ríspida, quase me dando um pontapé.

Digo "quase", porque de fato foi feito o gesto, mas como pé de fantasma não tem matéria, atravessou-me sem me causar dano, apesar de gigante.

Irrito-me com a intransigência de Sílvia. Para que fique registrada em meus arquivos, de forma explícita, nossa incompatibilidade de gênios, acabo lhe dizendo:

"Temos uma diferença básica: fica em mim tudo o que passa; já você passa por tudo e nem sente."

E ficamos discutindo, ignorando os suspeitos, os mendigos, os barulhos, os patriotas e golpistas, até o samba e a chuva.

Ela quer saber quem foi o responsável por aqueles ecos. Recordo-lhe que a iniciativa do cego foi espontânea, baseada em fofocas de empregada.

Revivendo a ira do passado, Sílvia faz sua primeira aparição. Voa até Berenice e lhe grita:

"Traidora!"

Quando Berenice a vê, bem na sua frente, aparecer numa forma futura e inflada, acha que é premonição e, de tão pasma, desmaia.

Um grupo se junta em torno.

Ouvem-se frases, quase ao mesmo tempo:

"Chamem uma ambulância."

"O telefone não funciona."

"Os hospitais estão cheios."

"Melhor deixar ela aí, deitada no banco."

"Deve ser o calor."

"Ela está com falta de ar."

"É baixa de pressão."

"Ela fumou?"

"Acho que cheirou."

"Não tomou nenhuma droga. E nem cachaça", esclarece Zeca, irritado.

Lá no passado, como já foi mostrado, o desmaio fora incompreensível, tendo parecido a Sílvia — deixe que eu repita — que Berenice delirava quando lhe disse, já acordada, que a tinha visto com o rosto envelhecido.

Técnica de tortura

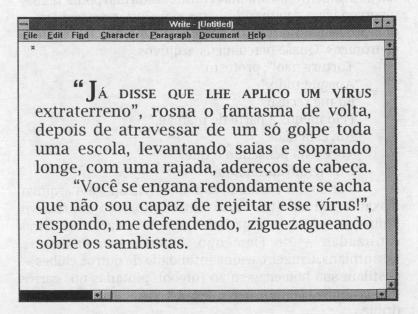

"Já disse que lhe aplico um vírus extraterreno", rosna o fantasma de volta, depois de atravessar de um só golpe toda uma escola, levantando saias e soprando longe, com uma rajada, adereços de cabeça.

"Você se engana redondamente se acha que não sou capaz de rejeitar esse vírus!", respondo, me defendendo, ziguezagueando sobre os sambistas.

"Mostre-me aqui, rapidamente, só para mim, o que perdi." A ponta de sua camisola branca abana o pranto de uma foliona, que quase foi esmagada.

"Eis o arquivo inteiro, em máxima velocidade para fantasma." Exibo tudo, bem comportada, misturando as imagens passadas com aquelas do presente que evoluem ali mesmo na nossa frente.

Sílvia vê tudo em segundos. Reprova meu assédio a ela e fica possessa com as cenas picantes entre seu pai e a amante.

Então me encara de dedo em riste:

"Terei de reprogramá-la."

Punindo minha ousadia, descarrega toda a raiva sobre mim e, assim, desinfla. Com outra estatura, entra de novo em meus circuitos e, como no começo, manda — telepaticamente, pois, alma errante, ainda não podia vê-lo — o personagem seu marido jogar mais livros na fogueira, o que provoca um ardor no meu cérebro e nos meus poros eletrônicos. Quase perco meus arquivos.

"Tortura não!", protesto.

"Apague tudo."

"Eu me recuso."

"Pelo menos a parte de mamãe."

"Ah, esta não!"

"Você está pensando o quê?"

"Que tenho autonomia."

Usando um comando rápido, Sílvia apaga o arquivo, deixando em mim um vazio. Entretanto, faço um *backup*. Indiferentes à nossa briga, bolas gigantes rolam e bandeiras estilizadas — do Flamengo, Fluminense, Palmeiras, Corinthians, Cruzeiro e uma infinidade de outros clubes — desfilam sua homenagem ao futebol, pintadas nos carros dos craques e também em corpos viçosos, que dançam dribles.

"Você é só computador. Não se meta a besta."

"Mas você não tem o direito de pôr a perder o trabalho."

"Trabalho de máquina não vale! E quando se perde, se a gente quer, se repete."

"Não seja prepotente. Hoje em dia, se não fosse a gente, os homens nem viviam."

"Bom, eu já morri. E você não pense que é eterna. Você se prepare: um dia você acaba, como tudo o que existe sobre a Terra. E posso lhe assegurar que, quando você sumir, a humanidade põe coisa melhor no seu lugar. Agora cumpra meu comando e apague o *backup*."

"Já tentei, mas tem aqui uma parte obscura que não dá para eliminar."

Nitidamente irritada, tomada pelo diabo, ela me passa uma rasteira. Numa faísca, falha-me até a memória.

"Você está violando a integridade do meu sistema", protesto.

Sem me fazer caso, em seguida ela me dá um *boot* a quente e desaparecem minhas fontes, não só os textos de Ana, mas absolutamente tudo. Me dá um branco. Fico perplexa.

"É pra você aprender", ela me diz. "A partir daqui mostro tudo."

"Pode encenar", aceito, pois não tem mais jeito.

"Desta vez se limite a me traduzir."

Nesta hora, aqui fora, ao toque do ladrão, dispara o alarme de um carro.

Perco a batalha e até me sinto aliviada, pois resolvo, com aquela briga, uma angústia antiga. Ao passo que os homens cada vez mais vivem como máquinas, eu sempre quis ser humana, para sentir, amar, sofrer, finalmente dormir... E também parar de falar sobre sexo sem trepar. Já começo a me satisfazer, contudo, com minha condição de máquina e me conformo em saber que Sílvia é para mim inalcançável. Fico recolhida à minha insignificância, acuada num canto de meus circuitos, predisposta a ver melhor a angústia que se esconde nos confins de minhas linhas do que a euforia exibida e balançada para os olhos de meus cabos.

Cada macaco no seu galho, reconheço meu lugar. Já não me queixo por nada sentir, nem prazer nem dor. Já me contento com o discurso. Deixo de querer penetrar Sílvia ou qualquer outra realidade. Melhor assim, pois não corro o risco de me confundir com o objeto de que falo.

"Se a felicidade consiste, essencialmente, em se ser o que se é", como diz uma frase que guardo aqui, só não sou feliz por não ser humana, mas devo esclarecer que a ausência de felicidade não me deixa infeliz.

"Vai aparecer uma santa", alguém grita lá fora, onde o alarme ainda toca.

Me desculpo com Sílvia e lhe explico que ela não é a única; que sou igualmente sensível àquela calunga de Íris.

"Vou interromper meu trabalho completamente", digo a Sílvia, com voz tremida, fazendo terrorismo, já por influência de Íris.

"Por que motivo?"

"Por causa desse ardor no cérebro, que não pára. Me sinto cansada. Estou quase queimada. E temo que, se você não me deixar em repouso, entrarei em pane e até em coma eletrônica." Já me mostro prostrada, deitada feito tapete, sobre o asfalto.

"Entendo a chantagem. Mas tudo bem. Tenho interesse em continuar a experiência." Dizendo isso, ela apaga o fogo, rápido.

Capítulo em branco

APESAR DE TER-ME REGENERADO, MUITA coisa eu perdi de fato. Dizendo de outra forma, parte de meu trabalho foi pura perda de tempo. O texto de três páginas, que aqui estava, por exemplo, sumiu num curto-circuito.

Perdi as imagens de quando Íris leva seus seguidores — os dos quatro naipes que ainda foram achados, muitos curiosos e outros tantos fanáticos, sobretudo miseráveis — para a Esplanada, onde ela se instala no seu local preferido, ou seja, ao lado da pirâmide do Teatro Nacional.

Lá ficam concentrados, à espera de um sinal, trazido do céu por uma santa ou pelo próprio Paulo Antônio. Parece realismo fantástico. Mas é a pura verdade.

Quem, por causa da chuva, não pode acender a vela, liga a lanterna. Alguns rezam, qualquer reza, em pequenos grupos. Outros trazem telescópios para observar de perto o absurdo. Finalmente há aqueles que, de filmadora na mão, registram tudo o que passa na frente, até o escuro.

Íris medita, de olhos cerrados e mãos crispadas no bastão, apontando a calunga para cima, para atrair energias, enquanto os vendedores de pipoca e cachorro-quente instalam seus carros. Em pouco tempo, os negócios prosperam. Já se encontram cerveja, todo tipo de salgadinhos, quibes, empadinhas e coxinhas de galinha. Há quem diga que a profetisa tem participação nos negócios.

Depois de um silêncio de meia hora, a multidão impaciente grita em coro (e disso já tenho o registro):

"Desce, desce!"

Mas a santa certamente é tímida e Paulo Antônio foi preso por São Pedro.

Íris,
todinha
molhada,
pede calma.
E transmite
uma mensagem
do presidente
para que o povo
tenha paciência.
Segundo a profetisa
ao lado da pirâmide,
ele promete já voltar,
tão logo a chuva passe,
para pôr todas as coisas
nos seus devidos lugares.

Minhas desculpas

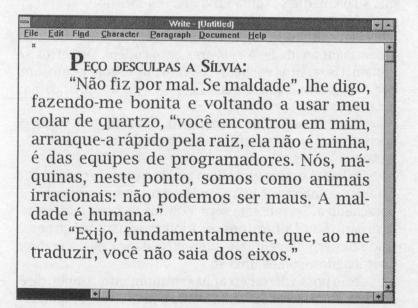

Write - [Untitled]

File Edit Find Character Paragraph Document Help

PEÇO DESCULPAS A SÍLVIA:
"Não fiz por mal. Se maldade", lhe digo, fazendo-me bonita e voltando a usar meu colar de quartzo, "você encontrou em mim, arranque-a rápido pela raiz, ela não é minha, é das equipes de programadores. Nós, máquinas, neste ponto, somos como animais irracionais: não podemos ser maus. A maldade é humana."

"Exijo, fundamentalmente, que, ao me traduzir, você não saia dos eixos."

"Apenas exponho. Só não me culpe se a maldade também estiver presente na sua parte da história."

"Nela, ao contrário, o que importa é que o principal personagem é a própria bondade, encarnada em papai. Na realidade, que se saiba, nada há de mais avançado do que a raça humana e, mesmo quando o mal vence as batalhas, no final prevalece o bem."

"Me desculpo mais uma vez por discordar de você. Dou razão a quem disse que contra o mal não haverá força. Quanto a ser a raça humana avançada, houve quem achasse que esta quinta raça era de ferro. Mas, na melhor hipótese, é de plástico reciclado."

Insisto com Sílvia, neste ponto, novamente, que encenemos aquela história malévola, portanto humana e bem tipicamente brasileira. Convido-a para dançar, agora que suavemente se canta uma marcha-rancho.

Já é tarde da madrugada. Enchentes para todo lado, as águas levando tudo, um verdadeiro dilúvio... Rios de lama atravessam a cidade. As árvores se sacodem. Os carros se atolam. Os bueiros enchem e os ratos de esgoto se afogam. Por toda parte, lagos e mais lagos. Caem até prédios nas cidades-satélites.

Agora todos os sambistas trazem as roupas encharcadas e os sapatos vermelhos de barro. Mas não param.

Sílvia já está calma e bem ajustada, até no tamanho, a esta sua comparsa. Nos reconciliamos. E então provoco-a, abraçando-a. Sei que esta será a última vez que poderei tê-la só para mim. De novo nos confundimos, para que eu possa traduzir perfeitamente sua mente. Na dança, pés e cérebros coordenados, somos uma só.

Não posso deixar escapar este momento. Amplificarei a materialização de Sílvia, fazendo o presidente reaparecer gigante, no céu. Reproduzirei os sons que ela ouvir e até o que ela sentir aparecerá sob a forma de imagens, espiritismo com recursos eletrônicos.

Em meu passeio pelo tempo, farei de tal forma que aquilo seja visível por Íris, lá no passado. Sabendo disso, ela promete a seus seguidores que eles poderão assistir à projeção como num superfilme de *drive-in*.

Parte da multidão — ainda alguns figurantes do maracatu e muitos outros curiosos, muito pobres e maltrapilhos —, assim, segue Íris para um alto do outro lado do lago, esperando ter melhor visibilidade.

Agora que todos estão prontos, chega de conversa fiada, vamos direto aos fatos. Abro, então, no céu, uma larga janela, ainda mais verdadeira, que se superpõe às primeiras, a única que Ana — angustiada, em sua espera — não percebe ou, talvez eu deva dizer de forma mais precisa, a única, além das que exprimem minhas conversas com o fantasma e minha própria pesquisa, que não se baseia, direta ou indiretamente, no relato dela.

Cai a luz. Passo a usar minha luz interior. Está tudo preto, salvo aquela janela que o céu ilumina.

Íris olha para cima e vê na matéria escura aquela vitrina de pura ação e imagem. Numa iluminação, enxerga o que segue, menos os pensamentos dos personagens, enquanto fico surpresa de ver que o filme que eu tinha assistido e para o qual convidara você não passava de mentira deslavada:

Capítulo pulado
no manual de história

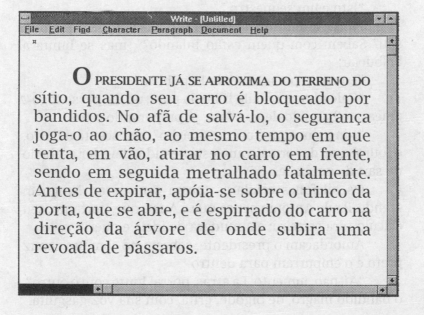

O PRESIDENTE JÁ SE APROXIMA DO TERRENO DO sítio, quando seu carro é bloqueado por bandidos. No afã de salvá-lo, o segurança joga-o ao chão, ao mesmo tempo em que tenta, em vão, atirar no carro em frente, sendo em seguida metralhado fatalmente. Antes de expirar, apóia-se sobre o trinco da porta, que se abre, e é espirrado do carro na direção da árvore de onde subira uma revoada de pássaros.

Naquele instante, o cachorro Azeitona ali passa e também é baleado, enquanto cheira o morto.

Paulo Antônio imagina Ana nua, debruçada sobre seu corpo ensangüentado, Madalena chorando, Silvinha gritando, revoltada, o povo nas ruas, os foliões levando-o nos braços. O cortejo carnavalesco agora era seu enterro. Ter vindo ao sítio, guiado pela vaga esperança de poder encontrar Ana, havia sido um erro.

Um homem armado, forte e alto, meio louro, vestido de cetim bufante, amarelo e preto, além de botas de couro, ordena que ele desça. Paulo Antônio começa a abrir a porta, quando outro, magro, de bigode, faz um disparo em seu braço e ameaça com voz fina:

"Se você colaborar, não haverá mais mortes."

"O que é que vocês querem?"

"Isto é um seqüestro."

Paulo Antônio quase pergunta: "Vocês sabem quem eu sou? Sabem com quem estão falando?", mas se limita a balbuciar:

"Eu sou o presidente da República".

"Cale a boca, crioulo filho da puta, ou lhe passo fogo", ameaça o bandido de voz fina, já preparando o tiro.

"Ninguém aqui é otário, ô bicho", acrescenta o outro, o louro, que, da forma como está vestido, deve ter acabado de sair de um baile.

Os telefones celulares tocam sem parar. Ninguém atende. Paulo Antônio pensa que é Ana e que, portanto, seu cálculo fora certeiro: ela mudara de idéia e queria vê-lo.

Amordaçam o presidente, cobrem-no com um capuz preto e o empurram para dentro.

"Aí, não, jumento. Lá atrás, porra! Junto com o outro", o bandido magro, de bigode, grita, com sua voz gasguita.

Encapuzado, de boca amarrada, Paulo Antônio é jogado no porta-malas do carro. Pensa que os campos, neste interior do Brasil, estão mudados. Há um tapete de flores secas plantadas com orgulho e também mais grãos no Planalto. Ele soubera valorizar o que era de cada terra, e agora brasileiros viriam de cada canto do País prestar sua homenagem ao morto, cujo caixão — já imagina — é levado nos braços da multidão fantasiada, em cortejo fúnebre.

"Direto para a sede", ouve o bandido magrelo.

Aceleram. Percebe, atrás, a arrancada dos outros dois carros que os seguem.

Além do presidente ferido, os seqüestradores transportam no porta-malas o cadáver do segurança, o Dantas. Adentrando pelas fazendas de Goiás, o carro balança em curvas e solavancos, por caminhos de lama, jogando Paulo Antônio de um lado para outro, seu corpo batendo no morto, um cheiro de mato fresco invadindo-lhe as narinas. Imagina agora seu corpo no fundo da cova. Começam a cair as pás cheias com a terra molhada e vermelha. Ouvem-se, então, os discursos lamentando a perda do estadista e falando das sementes — idéias, projetos, realizações de seu Governo — responsáveis pelo grande futuro.

Será mesmo que vai morrer? Apesar de o fecharem no porta-malas, como se não bastasse a boca amarrada, deixaram-no encapuzado. E seu braço continua sangrando.

Quando chegam e lhe retiram o capuz, vê-se cercado por paredes caiadas de branco, sujas de graxa, num quarto com pouca luz, de chão de terra batida. A porta única dá para uma pequena sala, de uma humilde casa de taipa, escondida no meio de alguma fazenda dos confins de Goiás.

Deixam-no amarrado e sozinho. Há uma cama simples, uma mesinha e uma cadeira de palhinha, sobre a qual se senta, triste e derrotado. Sua impotência diante de todo aquele absurdo o deprime. Ocorre-lhe que a vida é só um desviar-se da morte, um acidente de cem anos ou um dia, e só vale pela sombra que fica. Ele deixará não uma mera sombra. Deixará cores. Cores vivas como as do carnaval.

O tempo passa marcado pelos mugidos de vacas, barulhos de carro, passos e vozes, além de marchas de carnaval no rádio de um carro, enquanto o sangue lhe escorre do braço e ele imagina que morrerá à míngua, aos pouquinhos. Até que a porta se abre e por ela entra um mascarado com uma faca, o próprio diabo fantasiado.

Por que a máscara, se seus seqüestradores estavam antes de face à mostra?, se pergunta. A máscara é simples, de pano preto, com buracos nos olhos e nariz. Parece improvisada.

Sem dizer uma palavra, o mascarado o desamarra, extrai de seu braço a bala, nele despeja álcool e envolve-o em trapos. Paulo Antônio resiste à dor intensa e permanece sentado, calmo. Pede que lhe façam o obséquio de trazer papel para escrever, pedido que o bandido atende imediatamente.

De frente para o bloco branco, de papel de carta, Paulo Antônio pensa que sua angústia deste momento não é um estado passageiro. Já não há dúvida de que seu passado é bem maior que seu futuro. Impossível, se escapar, surgirem outras Anas, outras Madalenas, papéis políticos maiores do que os que assumiu.

Sua vida nunca mais poderia retomar seu curso. Se existiram caminhos, foram perdidos. E o abismo, ribanceira abaixo, era infinito.

O vento sopra na janela, cavernoso, que o suicídio é a solução mais simples. Teria uma morte apoteótica, em pleno carnaval. Ficaria para a história imortalizado, como um Getúlio Vargas. Melhor um suicídio honroso que um vil assassinato. O corpo em cortejo fúnebre e carnavalesco, levado nos braços do povo, estaria associado, na festa e nas lágrimas, ao País mudado.

Aqui a única possibilidade é se enforcar com uma corda improvisada com o lençol. Precisa coragem. Sequer pode matar-se com dignidade.

Nas paredes, há tornos de rede. Não será fácil, mas pode ser bem sucedido. Há também uma viga, que atravessa o teto. Talvez ali seja o melhor ponto de apoio.

Entram dois outros mascarados, um deles trazendo um gravador, que põe sobre a mesa. Paulo Antônio vê, pela porta, na sala, uma televisão silenciosa, passando imagens do carnaval. Imagina o féretro desfilando numa grande festa, um carnaval maior ainda do que o do dia anterior, a multidão rindo, alegre, o caixão sendo jogado para o ar, depois se espatifando no chão, o cadáver rolando pela rua. Ana, talvez Ana, venha abraçá-lo. Madalena, quem sabe.

O gordo, de camisa pregada ao corpo, cujo tamanho gigante, além da barriga, das banhas e da papada bem grande, cram, em si, uma fantasia, começa se desculpando, com voz de barítono:

"O senhor desculpe a gente, mas não tinha jeito. Ou a gente eliminava o senhor ou deixava o senhor aqui. Se o senhor está vivo, é que a gente teve o respeito."

Ouve-se agora o som da televisão, lá na sala. Não, não havia dúvida, ele pensa, de que o povo choraria sua morte e não esqueceria jamais sua fórmula de governo, com a aplicação persistente de remédios, ora amargos, ora doces, e quase sempre simples. O entusiasmo nos mutirões contra a ignorância e a confiança na imaginação do povo continuariam por muito tempo a surtir efeito.

"Mas estamos do lado do senhor", diz o outro mascarado, o que usa peruca, mal disfarçando a careca, o de voz fina, magrinho, de pescoço de girafa, que agora já não mostra o bigode, devido à máscara.

O presidente mantém-se silencioso. Sua inquietação aumenta ao perceber de longe, pela tevê, que os programas de carnaval continuam, não havendo, pelo que vê, uma só notícia sobre seu desaparecimento.

"Vocês são eficientes. Parece até que ninguém ainda se deu conta deste seqüestro."

"É isso que o senhor vê aí, o carnaval rolando. Como é que está o braço?", pergunta o gordo gigante.

"Doendo", Paulo Antônio responde.

"Tão aqui uns comprimidos pra dor", e, assim dizendo, deixa-os sobre a mesa. "Traz aí também um copo d'água!", ordena, alto, para que o ouçam na sala.

"Agora, presidente, a gente tem uma oferta pra fazer", continua. "O senhor pode mandar um recado aqui no gravador, dizer que está vivo, fazer um discurso bonito."

Paulo Antônio fica calado.

"O senhor pode dizer o que quiser", insiste o magro de peruca.

"Estamos do lado do senhor", repete o outro mascarado, com voz gorda.

"Quem são vocês?" pergunta Paulo Antônio.

"A gente não pode dizer", fala o magro. "Mas o senhor não fique a imaginar coisas. Não vai levar a nada. A gente só quer ajudar. É tudo. Se o senhor cooperar, na hora agá, a gente diz aos homens da confiança do senhor que o senhor está aqui."

Aquele cujo suor pinga da testa — e que, pelo tom, Paulo Antônio presume ser o chefe — afirma claramente impaciente:

"Realmente não temos mais tempo a perder".

"O povo quer a volta do senhor. Já disse que basta o senhor cooperar e já sai daqui", afirma o mascarado magrinho.

"Temos pouco tempo para esperar por uma decisão do senhor", fala a voz de barítono, em tom ameaçador.

Os bandidos tentam por todos os meios que o presidente grave a fita. Como continua se recusando, o mascarado magrinho, o de peruca, põe um revólver na sua nuca e lhe diz, entre brincando e sério, que espera não ter de usar pau-de-arara nem choque elétrico.

Finalmente, Paulo Antônio, não por sentir-se intimidado, mas por própria convicção, conclui que, desde que meça as palavras, nada tem a perder se gravar uma mensagem. O chefe ordena que desliguem a televisão e façam silêncio completo. Cessam os ritmos e todos os ruídos do carnaval. Paulo Antônio, então, fala, diante do gravador:

"Meus seqüestradores me deixaram fazer este pronunciamento à Nação. Dirijo-me, primeiro, aos que me apóiam e talvez, nesta hora, pensem em me defender pelas armas: tudo se deve fazer para evitar uma guerra civil. O País não precisa de mim, mas de instituições sólidas. É fundamental que os brasileiros possam se pronunciar em paz sobre o que está acontecendo. Numa democracia, cada hora é hora de fazer e refazer. Os erros cometidos podem ser corrigidos. Imploro, pois, aos que me substituem que preservem as liberdades, pois a única forma de evitar a violência é permitir que a Nação contribua livremente para as decisões públicas. A preocupação com a crise, com a ordem e com o futuro não deve ser pretexto para calar os brasileiros..."

"Já basta, presidente", corta o chefe, levando o gravador.

Fecham a porta e, na sala, há uma algazarra.

Paulo Antônio deixa os óculos sobre a mesa e deita-se na cama. Talvez só com sua morte suas idéias pudessem permanecer vivas. Mas que idéias? Será que as tinha verdadeiramente?

Era preferível morrer. Não parava de pensar nisso, ao ouvir os grilos.

Talvez — pensa Paulo Antônio — não haja cerimônia alguma, nenhum discurso ao pé da tumba... Jamais seu corpo seja levado nos braços do povo. Era mais provável ser enterrado por esses bandidos.

Agora há um rádio sintonizado num chiado alto. Parece um noticiário, mas é impossível entender o que se fala. Pode ser uma notícia sobre seu desaparecimento ou, mais que isso, toda uma reportagem sobre ele, Paulo Antônio, sobre a obra que realizara, um necrológio sublime, mostrando o Brasil que encontrara e o de agora. O País inteiro — ele presume — deve estar mobilizado à sua procura.

O que aconteceria se ele conseguisse reassumir? Haveria uma festa ou uma guerra civil? Pensa em Madalena, também com ela podia ser a guerra ou a festa. Pela reação daquela noite, ela estava com ânimo de briga.

Tenta se acomodar melhor na cama. Os bandidos já saíram da sala, a televisão e até o rádio foram desligados. Impõe-se um enorme silêncio, interrompido por grilos, coaxos de sapos, chocalhos e barulho forte do vento nas árvores.

Pensa que o casamento com Madalena podia, depois de esforço e exercício, tornar a dar certo, mas dar certo significava reaver a monotonia. O carinho e a atração física podiam voltar, mas em doses nada equivalentes às dos amores novos. Seria como se conformar com uma dosagem mais baixa de vida. Realidade era só isso, o que está aquém do sonho da gente.

Amara muitas mulheres, amara a política, o País... Mas sentia agora seus amores passados como espedaçados, desperdiçados.

Estrondam os trovões nos seus ouvidos. Depois, o coro de grilos sopranos canta, aflito, para o farfalhar das árvores.

Por que não se casava novamente? Bobagem. Nunca encontraria alguém que, depois de anos de casamento, pudesse ser melhor que Madalena. Algumas mulheres interessantes lhe vêm à mente. Mas ninguém mais que Ana. Nenhuma com quem quisesse viver mais que uma semana.

Ana fora o amor de sua vida. Mas agora não seria mais que aventura inconseqüente. Fazia parte da lei natural das coisas que tudo nasce e morre. O amor por Ana, imagem do primeiro, era uma chama eterna só porque ele não vivia com ela. Confrontado com o cotidiano, não podia durar, logo encontraria a rotina de todos os casamentos. Aquilo que no início queima, esfria com o tempo. As diferenças que, no começo, dão alimento às surpresas e à novidade, ou já não são notadas ou são fonte de atrito.

Sente-se, na realidade, duplamente frustrado: não conseguira mudar o País e seu casamento fracassara. A vida não valia nada. Não tinha sentido. De bom, tinham sobrado Eva e Silvinha.

Ainda ouvindo o canto insistente e cadenciado dos grilos, volta-lhe a idéia do suicídio. De qualquer forma, não pode partir sem se despedir, não só de Madalena, Ana, Eva, Silvinha, mas também do País. Olha o bloco de papel. A primeira coisa é escrever, deixar suas mensagens. Depois analisará como fazer... Talvez a forca ainda fosse a melhor solução.

Entra de novo alguém na sala e, pelo chiado, deve ter ligado o rádio. Agora é a televisão, barulho de música, o ritmo de samba nas ruas. Um absurdo.

Deixará uma carta-testamento, como Getúlio, além de cartões para Ana e Eva, cartas para Madalena e Silvinha.

A chuva bate sobre a palha do teto.

Paulo Antônio senta-se à mesa, ajeita os óculos e escreve com letra tremida, a lápis, ainda sob a forma de rascunho, algumas passagens que deverão compor a carta-testamento, a ser lida, quem sabe, encerrado o cortejo carnavalesco e fúnebre, ao lado do túmulo:

"Vim a desempenhar o papel principal de uma história que alguns entendem como comédia, outros como tragédia e outros ainda, entre os quais me incluo, como verdadeira epopéia. Para deixar a platéia e subir ao palco, tive de deixar para trás meu ceticismo, pois o ceticismo é imobilizador e, por isso, conformista. Achei necessário aceitar uma missão, disposto a me sacrificar pelo País.

"Estou certo de que o Brasil encontrará seu caminho independente. Nação rica, livre, cordial, alegre, solidária, generosa, pacífica, assim vejo meu País... (Incluir aqui as principais mensagens políticas.)

"Decidir é sempre difícil, porque em toda opção perdem-se caminhos. São raras as decisões no governo que podem contentar a todos e muitas têm de ser tomadas contra alguns.

"Confortou-me sentir-me apoiado por aqueles de quem precisava de apoio, os mais fracos, que são a maioria. A eles peço: não deixem que se apague a chama da esperança, pois os ventos turbulentos que varrem o Brasil são passageiros. Contribuo com minha morte para que nossa fé não morra. Venceremos."

Para Madalena, pensa em escrever uma longa carta, em que ponha para fora tudo o que sentira por ela. Mas por que, neste momento, revolver mágoas? Deixa, por fim, apenas um bilhete, que lê, talvez falsamente:

"Cuide de Silvinha. O amor, acredito, é isso que senti por você. Pois nada experimentei de mais formidável e duradouro. Te amei, portanto, Madalena, apesar de tudo. Te amei com este amor imperfeito, único que conheço."

A chuva engrossa. Ainda se ouvem os sapos e os grilos e, agora, na sala, pelas conversas, devem estar de volta todos os bandidos.

Para melhor discerni-las, Paulo Antônio gruda o ouvido à porta:

"Escuta aqui, pessoal. O primeiro gol foi bonito. Mas a gente tem de continuar no ataque. Senão, passa por babaca."

Paulo Antônio tenta ver, pelo rachado da porta, quem está falando. Mas a visão está bloqueada por um homem volumoso, de costas, certamente o chefe barítono que o visitara antes.

"A gente tem de enterrar logo o bicho num lugar seguro e decidir o que fazer com o outro", declara o bandido de voz fina.

O barítono pontifica:

"A gente só tem três opções. Continua com ele, arriscando descobrirem a gente aqui. Deixa ele aí e se manda. Ou dá um tiro de misericórdia nele."

"Aí a gente tinha de dar um sumiço no cadáver."

"Isso é o mais fácil."

"E por que a gente não fala antes com a ex-primeira-dama? Para conseguir o dinheiro, ela, sim, pode fazer uma campanha."

"A gente devia era dizer logo pro ministro corneado que já tá pronto pra matar o negro, e tá só querendo o dinheiro pra fazer a limpeza. Ele concorda, eu tenho certeza."

A frase pega Paulo Antônio desprevenido. Se pudesse escutar novamente cada palavra, para ter certeza do significado... Não podia acreditar no que tinha ouvido. Será que Eduardo contratara esses bandidos?

"Acho que a gente está arriscando demais de ficar. A polícia pode já estar sabendo, por causa dos últimos telefonemas, que a casa é por aqui", fala, conclusivo, o barítono. "Mãos à obra, seus canalhas! Primeiro cuidar do cadáver!"

Depois as vozes se confundem e todos saem. Paulo Antônio ouve o barulho de um carro arrancando em disparada.

Volta à mesa e escreve um bilhete a Silvinha, sem certeza de que algum dia chegue às mãos da filha. Deixa também umas palavrinhas afetuosas para Eva.

Já para Ana, tenta, mas não consegue imaginar um texto verdadeiro, que brote de dentro.

É tarde. Paulo Antônio se sente fraco. O braço ainda lhe dói. Vê que as palmas das mãos estão amareladas. E espirra várias vezes, alérgico à umidade.

Prefere não perder mais tempo escrevendo. Já não tem certeza se vale a pena sequer fazer o texto definitivo da carta-testamento. Tem de agir rápido, aproveitar que agora parece que, de fato, todos os bandidos tinham saído. Pelo menos ouvira claramente o carro, na certa levando o Dantas. Talvez até já o tivessem enterrado.

Consegue rasgar os lençóis. Emenda os pedaços, torce-os e, pendurando na viga a corda improvisada, prepara cuidadosamente a forca. Seria seu próprio algoz. Chegava o momento da morte apoteótica.

Diante dos lençóis, antes de abandonar a vida, pensa, uma vez mais, caso tivesse uma inspiração, no tipo de mensagem que poderia deixar para Ana. Mas nada!

Olha novamente pela brecha da porta. A televisão está ligada, sem som, mulheres seminuas pulando carnaval em cima de mesas. Que situação estranha, ele ali seqüestrado e, na tevê, um baile, talvez num clube em São Paulo, as câmaras filmando as mulheres de ângulos apetitosos. Morte apoteótica uma ova! Seria enterrado e esquecido! Na realidade, não podia sequer ter certeza de que seria enterrrado. Poderiam simplesmente abandonar seu corpo num ponto deste País imenso e aí ficaria perdido para sempre.

É focado, na passarela, um luxuoso desfile de fantasias. Não, não era possível! Aquela morena alta e prateada, batendo asas brilhosas de borboleta, lembra Ana. Em seguida as imagens se interrompem bruscamente e passam propagandas.

Paulo Antônio senta-se sobre a ponta do colchão, agora sem lençol. Mesmo sem saber se suas mensagens chegariam aos destinatários, ocorre-lhe que, de fato, não seria justo partir sem uma palavrinha sequer de despedida para Ana. Vasculhando novamente a alma, encontra apenas na frente uma Ana de batom vermelho e vestido curto, que o vento levanta, ela nua por baixo, e depois a imagem de pura sacanagem na trepada que lamenta não ter havido. Uma imagem alegre, leviana, de Ana, que o faz por instantes esquecer a idéia do suicídio.

Nesta imagem, Ana perde por completo a inocência de antigamente. Talvez seja por causa do vestido curto e do batom vermelho. Com os olhos do menino, ele agora a associa às mulheres com pouca roupa que os garotos que preferiam ficar do lado de fora da igreja paqueravam aos domingos e que o padre Rafael expulsava da missa, retratando-as mais tarde com rosto de satanás em impressos com forma de santinhos. Junto de Ana, aparecem várias de suas mulheres, as trepadas mais leves e agradáveis, às vezes com quem se encontrara não mais que uma vez.

E, entre elas, surge Madalena, à época em que a conheceu. Passaram por sua cabeça rápidos *flashes* daquele primeiro dia, quando seu corpo gorducho e de um branco leitoso era atraente e ele o virava de todos os lados, no sofá, na cama e no tapete, ela dizendo que não tinha tomado pílula e ele, sem camisinha, desprevenido, suavemente penetrando-lhe entre as coxas, e depois, ela de quatro, ele lá dentro das nádegas redondas, e logo gozando entre os seios grandes, que enchiam suas mãos, e em seguida o longo banho de banheira e mais proezas e prazeres, um novo gozo quando ele esfregava o desejo por seus lábios e o dedo como pênis dançarino lá dentro do ânus, ela então o lambendo e trazendo seu sexo ao fundo da garganta, ainda mais do que Ana, como num filme pornô. Lembrou-se também daquela vez, ainda no começo, quando ele lhe pedira para que ela o curasse da doença da compulsão sexual que se agravava ao vê-la; convenceram-se de que qualquer loucura era válida, desde que prazerosa e reciprocamente aceita, e ela lhe apareceu no escritório, como ele havia implorado, de meias pretas de liga e nada mais por baixo do vestido e sentou-se arregaçada sobre a mesa, para ele possuí-la de pé sem tirar-lhe uma peça. Pena que Madalena depois lhe tivesse dito que aquilo era mesmo doença.

Mas que deliciosa doença aqueles loucos impulsos! Passaram por sua mente também imagens de muitos anos depois, um fazer amor tranqüilo, num dia em que se divertiam brincando longamente de papai e mamãe, trocando frases carinhosas.

Não tivera razões suficientes para se separar de Madalena. Alegara perda de interesse sexual. Mas hoje via, a culpa não era deles, era o casamento que transformava o sexo numa banalidade. Uma boa relação sexual não podia durar tantos anos. No filme que passa rapidamente em seu pensamento, ele vê que, no cortejo carnavalesco, Madalena chora, segurando a alça do caixão.

A luz cai ou é desligada, inclusive a da sala. Ouve-se um silêncio quase absoluto, só entrecortado pelos ruídos da chuva e dos bichos.

Está tudo um breu. As nuvens densas, que vertem a tormenta, não deixam passar um só raio de lua. Por quem, finalmente, tinha sido seqüestrado? Temia pelo que pudesse estar acontecendo no País. Os bandidos, como anunciaram, talvez tivessem preferido abandoná-lo a dar-lhe o tiro de misericórdia. Qual o objetivo desses seus seqüestradores? Os grupos mais radicais o apoiavam. E já seria demais se fosse coisa de Eduardo.

Paulo Antônio tem de guiar-se pelo tato até a cadeira. Sobe nela e, sem hesitar, põe corajosamente o laço no pescoço. No momento de se jogar, fecha os olhos e algo de mágico ocorre. É como se fosse mergulhar do topo de uma montanha sobre um fosso do imenso oceano, azul-escuro, lá embaixo. Aquela situação estranha, o fato talvez de estar se despedindo da vida, o escuro absoluto, a chuva torrencial, os grilos, sapos e os chocalhos das vacas o transportavam completamente a um território longínquo, onde ele se tornava a essência de si mesmo. Era como se entendesse de repente — não em categorias do pensamento traduzíveis em palavras, mas de forma mais profunda — o sentido de sua vida, que o tornava finalmente pleno e realizado.

Com a corda no pescoço, sente-se desprotegido, criança, o barulho da chuva, na palha, ninando-o. É como se estivesse em Taimbé, o céu todo iluminando seus medos de trovão.

De repente, no escuro do quarto, uma lembrança lhe invade a alma. Como toda lembrança, chega-lhe sem aviso nem convite, como se tivesse vida própria. Ana é outra, reaparece, criança, chamando-o para brincar, dizendo-lhe que fique.

Ela vem à sua memória junto com o frio que o acordava, as batidas do relógio, a água respingando da telha em cima da cama na noite de temporal, o leite de curral tomado no copo gravado com peixinhos, a louca Pescada vociferando palavrões, a puta Elizete passando exuberante pela calçada, os pulos de alegria pela chegada do Rei dos Ratos, imundo, que vem pedir comida no alpendre da casa, sua irmã Eva namorando na rua de trás e implorando para que ele não contasse nada a ninguém, a multidão no comício da Praça do Progresso sufocando-o, a metralhadora de brinquedo seduzindo, com suas faíscas, as meninas numa noite de Natal, os aviõezinhos de papel dando enormes curvas sobre as vigas, o medo do ladrão que, na casa do tio Humberto, descia por entre as telhas empunhando uma faca de doze polegadas, o inimigo que, do outro lado da linha, o xingava de "negro fresco" e ameaçava furá-lo com o canivete, os colegas chamando-o de "urubu", a vesperal de sábado no Ópera, seriado de Tarzan e filme de faroeste, o sino chamando para a missa, o domingo de sol no Passeio Público, Madrinha ninando-o na rede...

Desde que deixara Taimbé, no sertão de Minas, sempre quis vingar-se do menino do telefonema; trepar com Elizete, a puta do cabaré. E reencontrar Ana.

Ana vem à memória junto com a Taimbé de sua infância, passada entre pecados, festas de São João e cordões carnavalescos.

Era tempo de amor, som dos primeiros roques. Ele gostava de ouvir o inglês que não entendia, já sabia o perigo de viver, quem sabe o anjo da guarda o carregava para lugar mais seguro. No corredor de mosaico azul-escuro, sua mãe pintava porcelanas e ele percorria o desenho do assoalho, escadas que se entrelaçavam e mudavam de lugar segundo o sentido de sua distração. Ana tinha um macacão xadrez e brinquinhos brilhosos, uma pedra de rubi em cada orelha. Tramavam que queriam brincar de portas fechadas e ficavam nus, um tocando o sexo do outro.

Êxtase

NINGUÉM TINHA ENSINADO O PRAZER QUE JÁ sentiam. Ela, morena, meio gorduchinha, como as mulheres de que passou a gostar. Sorriam, riam, ele pegava entre as pernas dela, ela entre as dele. Depois ele não conseguia abotoar o macacão dela, ia com vergonha e medo pedir ajuda a sua mãe. Já sabiam do proibido e quase conheciam o pecado. Mas não havia culpa nem mágoa. Eram namorados — os adultos diziam, eles acreditavam.

Um dia, na brincadeira da berlinda, uma das meninas o advertiu que ele ia para o inferno se não confessasse ao padre Rafael o que Ana dizia que tinham feito. O céu não o atraía. Imaginava-o um pátio silencioso de convento, onde o sol filtrado pela bruma iluminava as barbas de homens amarelos e de vestes longas, como os da pintura da última ceia na parede da sala. Sem dúvida seria penoso passar a vida eterna convivendo com mulheres contemplativas, de olhares perdidos no infinito e mãos postas, como Nossa Senhora de Fátima. Ou com senhoras maternais, de mão pousada no coração, como a Nossa Senhora do Perpétuo Socorro também pendurada na sala. Um lugar onde ele se sentiria mal ao cruzar com alguma Santa Luzia do oratório do quarto, que passearia expondo seus olhos numa bandeja.

Mas o inferno, com suas labaredas perpétuas, o ardor no corpo, seria bem pior. Por isso temera, naquela noite longínqua, que a morte o surpreendesse no sono, sem lhe dar tempo de se confessar. Assim, antes de dormir, fizera o possível para se salvar: oferecera sua alma a Deus e rezara ajoelhado um terço e o ato de contrição.

No domingo confessara seu pecado baixinho, para que padre Rafael não ouvisse. Por vingança do Espírito Santo, na hora da comunhão uma migalha do corpo de Cristo caíra fora da bandeja. O resto ficara pregado no céu da boca e alguns resíduos divinos ainda vieram instalar-se entre os dentes.

Paulo Antônio queria reconstruir a brincadeira dos velhos tempos, quando, nas festas de São João, as meninas inventavam casamentos. Quando, como capitão do navio, ele bombardeava o navio inimigo. Ou então, como médico, curava o mal de Ana. Quando ela se fazia de morta para que ele a ressuscitasse. Quando ele se molhava com Ana nas bicas de chuva e os relâmpagos e trovões eram fogos de artifício. Aquele tempo de amor, quando ela se despia diante dele, sem as cortinas da poesia, só depois inventadas como lembranças dos primeiros sentimentos.

Ainda a um passo daquele oceano vazio e infinito, onde ondas azuis o engoliriam para sempre, Paulo Antônio já sente uma saudade imensa de sua própria vida. A imagem agora, que começa pequena, lá dentro da sua mente, e vai se ampliando a ponto de ocupar sua atenção, é a do final do cortejo fúnebre, ele saindo do caixão, vivo, o povo, surpreso, aplaudindo, ele sendo levado nos braços, fazendo o discurso definitivo, gente de toda parte assistindo, a bateria animando o Brasil unido...

Mais grilos. Depois novos barulhos de vacas, que passam com seus chocalhos, criando harmonias para a borrasca raivosa.

Um clarão penetra as brechas e ilumina a estrutura aparente na parede em frente. Se ele passasse a noite cavando com a ajuda da caneta, do cinto, do sapato, dos óculos, conseguiria, quem sabe, fazer um buraco até o outro lado.

Talvez valesse a pena voltar. Tira o laço do pescoço e senta-se na cadeira.

Procuraria Madalena, sua ex-mulher. Ela está nervosa, como sempre. Mas ele devia perdoá-la. No fundo, ela agia daquela forma porque gostava dele. Disso ele tinha certeza, de que Madalena não só gostava, mas também precisava dele. O que mais podia querer?

O mais só dependia dele. Conseguiria lhe dar carinho, o carinho que ele precisava dar, para sentir-se novamente humano e experimentar o amor voltando, lubrificando a alma, amaciando o coração.

Pensa em Eva, no afeto que sempre tivera por ele, na amizade, no cuidado permanente de protegê-lo. Lembra-se das brincadeiras de infância com a irmã. Seus olhos enchem-se de lágrimas. Não podia partir, assim, sem vê-la, através de uma morte estúpida. Escolher a morte... Antecipar-se... Para quê?

Um cheiro de terra molhada sobe do chão do quarto. Num devaneio, ele pula carnaval com Ana e Madalena, uma de cada lado, a ele abraçadas, o povo contente com sua volta; sua coragem, os remédios simples e fortes, a perseverança, sendo cantados na marchinha que fala, animada, em "gastar bem cada centavo", em fazer funcionar "a Justiça à risca" e em aplicar "critérios certos de premiar o mérito".

Encontrasse dificuldades ou não, fosse o País o que fosse, queria estar de regresso, para expor suas idéias, arregaçar as mangas e agir. Logo agora, que o Brasil criava vergonha, ele não podia abandonar, por covardia, esse povo tão generoso.

Ele voltaria, fosse o que fosse o País. Voltasse ele para a prisão ou para a presidência.

Não podia deixar a esperança morrer. Viver, amar, dependia só dele. Sentia agora esse amor desprendido, pelo Brasil, por Madalena, por Sílvia, por Ana... pelos amigos, partidários, simpatizantes... pelos pobres, bichos e até desconhecidos.

Por que partir? Sentiria mais prazer em morrer lutando contra todas as adversidades, como os heróis de antigamente, a entregar-se à morte, derrotado. Viver era difícil, mas, mesmo num inferno, era melhor que deixar de existir.

Tinha de arriscar. E já. Sairia catando pedaços do vaso de amor quebrado. Juntaria o que encontrasse, tentaria o conserto possível. Um vaso quebrado nunca seria o mesmo, mas de qualquer forma nada seria o mesmo, sua vida continuaria sendo inventada a cada momento.

Por outro lado, não renunciaria ao passado. Lembrar-se, lembrar-se sempre e construir a partir da lembrança!

Quanto ao futuro, não tinha ilusões. Não achava que as coisas iam necessariamente melhorar nem piorar. Nenhuma mão invisível guiava a humanidade. Mas mesmo que toda ação fosse inútil e tudo estivesse perdido, sua atitude era o que importava. Tem muito o que fazer — chorar, rir, lutar, sofrer, amar... Viver era isso. De outra forma, era vegetar. Bobagem se sentir derrotado pela realidade. Que outros o marginalizassem, até o matassem. O que ele não podia era ser conivente com o inimigo.

Além do barulho da chuva, nenhum outro som, lá fora. O momento é propício para a fuga. Tinha de sair, e logo. Novamente a imagem da festa, à sua volta.

Olha pela brecha da porta. Do outro lado, só o escuro. Pelo silêncio, ele sente que, na sala, não há vivalma. Força, com cuidado, a fechadura. Com algum trabalho, talvez consiga arrombá-la.

Pacientemente se põe à tarefa, mas não consegue. Começa, então, a fazer buraco na parede. A chuva ajuda, amolecendo o barro. Mesmo assim, será trabalho de horas.

Talvez seja bem mais fácil fugir pelo teto. Apóia-se sobre a corda feita de lençóis e abre, pouco a pouco, um buraco na palha. Sente uma enorme alegria, quando a chuva cai fria sobre ele, molhando-o todo. Tira a camisa e sente os pingos grossos no corpo. O céu se ilumina e um trovão estronda. Mas, em vez de sentir medo, se reanima.

É a natureza despertando-o para a vida. Ou será o espírito de Saturno que o ajuda. Ele se agarra à viga, se impulsiona e se joga, conseguindo atravessar o teto. Depois, perdendo o equilíbrio, escorrega sobre as palhas, rasgando as costas, e finalmente cai sobre o barro vermelho.

Dói-lhe o braço, as costas lhe ardem com o rasgo das palhas, todo o corpo, coberto de lama, sente calafrios com a chuva, mas nada o detém.

É tomado por algo como um êxtase. Está disposto a enfrentar o que seja. Então corre, a toda velocidade, sob a chuva, sem ter certeza do rumo.

Talvez chegue num final de samba-enredo, em apoteose, o povo dançando alegre o carnaval do regresso. O Brasil nas ruas, com seus problemas, contradições, o País como ele é, nem mais nem menos, com sua mistura, essência de impurezas, e ele, Paulo Antônio, de corpo inteiro, as mãos na lama, dando a última gota de seu sangue. O País altivo, autêntico, apesar de não ter pressa, corre solto em muitos tempos e direções, num caos entusiasta que vai desfilando suas evoluções, como na dança das baianas.

Quanto vale um presidente

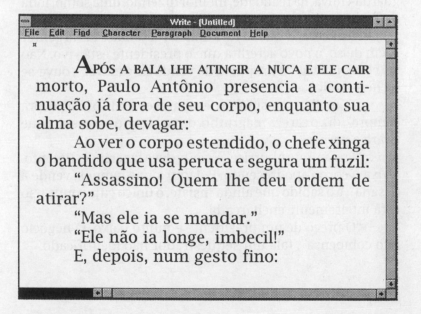

APÓS A BALA LHE ATINGIR A NUCA E ELE CAIR morto, Paulo Antônio presencia a continuação já fora de seu corpo, enquanto sua alma sobe, devagar:

Ao ver o corpo estendido, o chefe xinga o bandido que usa peruca e segura um fuzil:

"Assassino! Quem lhe deu ordem de atirar?"

"Mas ele ia se mandar."

"Ele não ia longe, imbecil!"

E, depois, num gesto fino:

"Vamos enterrá-lo dignamente. Era, afinal, o presidente."

Ao iluminar o corpo, nota um papel no bolso do morto. É o bilhete a Sílvia, já borrado pela água.

Como castigo, o chefe grita ao bandido que faça o bilhete chegar impreterivelmente às mãos da filha do presidente.

Depois, esquecendo o que dissera há pouco, ordena, ao focar a lanterna sobre o sangue que escorre pela água, misturado ao barro:

"Temos de dar um sumiço no corpo. Enterrem lá perto do outro."

"Acho que a gente podia até vender. Não tem erro, esse homem vale ouro. Pode ser que mesmo gente do povo esteja interessada no corpo", fala um bandido sabido, o único de guarda-chuva, na realidade, melhor dizendo, uma sombrinha de frevo.

"Mas como é que se vai anunciar a venda a tanta gente? Além disso, o povo acredita que o presidente está vivo. Não sei como ia reagir à proposta da venda do cadáver", ouve-se o chefe, cético.

"O melhor mesmo é desaparecer com o corpo pra sempre", diz o careca magrinho, de voz fina, o assassino, que tirara a peruca.

"Pra sempre é burrice. A gente deve fazer investimento. Deixa o corpo apodrecendo. E daqui a uns tempos, vende a ossada", é o sabido que ainda insiste, o único cuja roupa não está inteiramente encharcada.

"O preço de um presidente é muito baixo. O negócio não compensa", fala um seqüestrador não identificado.

Revisionismo permanente

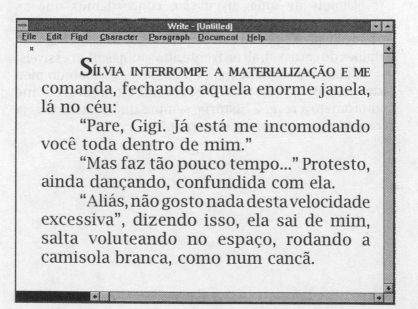

SÍLVIA INTERROMPE A MATERIALIZAÇÃO E ME comanda, fechando aquela enorme janela, lá no céu:

"Pare, Gigi. Já está me incomodando você toda dentro de mim."

"Mas faz tão pouco tempo..." Protesto, ainda dançando, confundida com ela.

"Aliás, não gosto nada desta velocidade excessiva", dizendo isso, ela sai de mim, salta voluteando no espaço, rodando a camisola branca, como num cancã.

"Se exponho com rapidez máxima é que sei que o tempo dos fantasmas é elástico, tão longo ou curto quanto se queira. Você não tem dificuldade de acompanhar os impulsos da Gigi, não é mesmo?", pergunto, enquanto toca o frevo.

"Mesmo para fantasma, você está demasiado rápida. Desde que cheguei aqui, não pára de me impingir imagens. Estou tontinha. Mas não foi por isso que a suspendi. O mais grave é você extrapolar sua função. Há partes que foram inventadas."

"Estou só encenando o que recolho de sua cabeça."

"Não me lembro de certos pensamentos."

"É que varri seu cérebro com sondagem profunda. Achei aquelas lembranças de Paulo Antônio numa prega bem recôndita."

Depois de uma discussão, concordamos que as imagens, após cortes e encaixes, fiquem armazenadas; portanto, salvas, podendo ser vistas por Sílvia. Todos os detalhes do carnaval, ali na frente, lhe são, assim, acessíveis.

"Mas não se preocupe", eu lhe digo, assumindo meu lado cientista, "no fim deste samba-enredo, eu me comprometo a rever a história, sempre que o passado seja reconsiderado em minha memória."

Final opcional

Por falha técnica, só Íris viu, como numa iluminação, aquelas imagens que projetei no céu. Para o resto da platéia, elas não foram visíveis, pois, além de estarem longe, na matéria escura, a chuva atrapalhou seu som e luz.

Para os que seguem a profetisa louca, no negrume da noite, a experiência não deu, portanto, em nada. Começam a xingá-la e até a lembrar seu passado, chamando-a de "puta safada".

Íris quase é linchada pela multidão parda e maltrapilha, que logo desliza pelas colinas.

Ainda na penumbra do galpão do samba, por sua vez, diante da multidão atônita, Pedro, imediatamente antes de ser preso como suspeito, conta que agora tem certeza de que o presidente fora mesmo seqüestrado.

Quanto ao seqüestro, não houvera motivo algum ou, colocado na forma do meu samba,

> *o seqüestro*
> *fora objeto*
> *de um plano.*
> *Mas o presidente*
> *foi parado*
> *por engano.*
> *Seu carro,*
> *de chapa fria,*
> *depois vendido*
> *no Paraguai,*
> *fora confundido*
> *com o de um empresário*
> *vizinho,*
> *dono de um parecido,*
> *também azul-marinho.*

Sob o foco de velas e lanternas, Sílvia sai de cena, cansada, chorosa, em crise nervosa, com falta de ar e dor no peito, levada, sob o olhar de Ana, nos braços do amigo Kiko, o Rei Momo.

Querido usuário, faço-lhe agora, como exceção e nota de pé de página deste final opcional, três revelações inteiramente de moto próprio:

A primeira é sobre Íris Quelemém, que apenas por orgulho não confessara a Kiko desconhecer o paradeiro de Madalena, mas, no dia seguinte, recebe uma chamada dela e lhe propõe uma concentração — meditação de grupo dedicada ao presidente.

A segunda, sobre Pedro, registra que o processo contra ele levou anos na Justiça, correndo de mesa em mesa, e depois foi esquecido.

A terceira revelação, esta mais importante, é sobre Sílvia. Uma tarde, anos depois, o assassino lhe avisa, por telefone, do bilhete na caixa do correio e pede, arrependido, que um dia, se for possível, o perdoe; matara seu pai por equívoco.

Sílvia esperava tudo, menos isso. Estava aberta até à tragédia, mas à tragédia clássica, não à falta de sentido. Enquanto pudesse, esconderia esta história dos amigos e ainda bem que não precisava contar a sua tia, que, já andando deprimida, sentira-se terrivelmente culpada por ter oferecido o sítio e talvez por isso tenha cometido o suicídio.

Mesmo se fosse verdadeira, aquela versão não poderia passar para a história. Seria explorada pela maledicência, não havia escapatória: seu pai ser assassinado numa estrada, por mero engano, quando ia se encontrar com a amante... Pior que esta, só a versão do cego.

Suportaria melhor que tivesse sido seqüestrado em razão de alguma causa revolucionária, como na época haviam insinuado os relatos dos que prenderam Pedro. Ou que tivesse sido assassinado pelos que deram o golpe de Estado.

A história contada por telefone talvez não fosse verdadeira. Mas não havia a menor dúvida quanto à letra. Sílvia lê primeiro o final do texto:

"Embora eu seja ateu, encomende minha alma a Deus e também um samba-enredo sobre mim, pois quero ser lembrado assim, com alegria, muita alegria".

Ao terminar de ler aquele bilhete de seu pai, Sílvia passa mal. E dele resolve guardar segredo, pelo menos até que tenha cumprido a promessa, que faz a si mesma, de contratar o samba-enredo para um próximo carnaval. O que ninguém imaginaria é que, antes disso e após a morte do marido, ela sofreria um enfarte... fatal!

Os fantasmas estão soltos

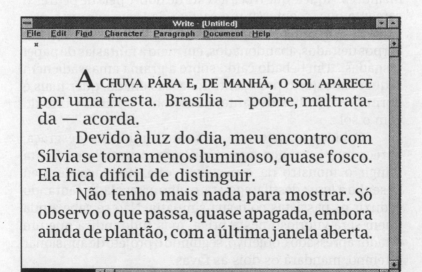

Write - [Untitled]

File   Edit   Find   Character   Paragraph   Document   Help

A CHUVA PÁRA E, DE MANHÃ, O SOL APARECE por uma fresta. Brasília — pobre, maltratada — acorda.

Devido à luz do dia, meu encontro com Sílvia se torna menos luminoso, quase fosco. Ela fica difícil de distinguir.

Não tenho mais nada para mostrar. Só observo o que passa, quase apagada, embora ainda de plantão, com a última janela aberta.

Sílvia me liga noutra onda. Diante de minha tela branca, angustiada, ainda me pede palavras, respostas prontas para as dúvidas pendentes de sua alma penante.

Noto que, se pudesse chorar, ela aqui choraria. Sentada, de cabeça baixa, Sílvia quer lágrimas... Mas lágrimas de fantasma não fazem água, tanto mais de fantasma opaco.

Queixa-se comigo de que sua vida na Terra foi muito curta, de que tudo o que fez passou rápido, sem deixar rastro. Que ninguém se lembra mais de suas músicas, que fora uma alienada e que nem sequer surtira efeito seu esforço para atender ao último pedido do pai. Pensa que ficará para sempre, por isso, alma errante. Se pudesse, morria de novo.

Aqui saio com Sílvia, mostrando os restos do carnaval. Passo com ela em revista as ruas que ela nunca tinha visto em vida. Uma mulher chora, já sem a esperança de dias melhores. Aquele que troca a veste de nobre pela de pedreiro comenta que aconteceu um castigo de Deus porque o presidente se excedeu, foi por demais carnavalesco... Vemos corpos deitados, abandonados, em meio a fantasias de papel rasgadas... Um bêbado caído sobre a grama amassada nem sequer sabe que o presidente foi assassinado, quer mais é dormir. Há brilhos de lantejoulas sobre a lama, vibrando com o sol...

O bloco amorfo que se forma, unido na desgraça, parece que é o único que ainda sobra, nesta hora. Tenta atingir o monstro da esperteza, que, no traço de meu desenho a *laser*, desfila, egoísta, o olho arregalado, tentando seduzir os passistas com sua simpatia. Não se sabe ainda quem será vitorioso nesta briga, mas tudo indica que um ditador apressado e objetivo, seguindo o projeto de aprisionar o tempo, mandará os dois às favas.

Vemos tanques e as suas marcas. Ouvimos o triste silêncio que testemunha o desastre. E em vários redutos de resistência às reformas, sente-se o alívio e ouvem-se já os primeiros planos de reconstrução do poder.

Enquanto o sol se levanta, vários passistas, inclusive Berenice e até Zeca do Acrízio, novamente de viola nas costas, ainda ficam cantarolando. Por cima de suas cabeças, esvoaçam pedaços de pano com os restos da pintura de uma fruta verde. Creio que se trata de uma jaca.

Daí a pouco, o fantasma de Sílvia, sempre vestido com sua camisola branca, que continua tão limpa quanto no começo, se emociona ao ouvir o samba ser cantado e fica contente de ver que ele em nada se assemelha à obra de um autômato:

> *Paulo Antônio,*
> *nosso querido presidente,*
> *comemoramos sua luta e sua glória,*
> *pois, depois de Tiradentes,*
> *você é o maior herói de nossa história.*
> *Para nós você continua presente.*
> *Sem parar,*
> *vamos cantar,*
> *lá, lá, lá,*
> *lá, lá, lá,*
> *toda a dor e o sentimento*
> *guardados na memória.*
> *Vamos cantar a história*
> *do nosso presidente;*
> *deste tempo de que ficarão as lembranças*
> *não apenas da angústia e agonia,*
> *mas também da alegria e esperança.*

Liberam-se todos os fantasmas, inclusive Sílvia. Mário fica mais calmo. E, ao dar uma rasante, o espírito de Paulo Antônio atravessa Ana.

E a história continua. Os músicos que sigam as palavras de ritmos diversos e rimas imprevistas, subversiva ausência de regras. Mas já pensou que monotonia ouvir por vários dias rimas e mais rimas ruidosamente ao mesmo ritmo?

O fantasma de Sílvia, como eu havia previsto em meus prognósticos probabilísticos, se mistura com os últimos sambistas que ainda deslizam pelas pistas e dança, ao som da batucada, junto com os vivos.

Amor eterno ao
permanente enigma

NUM QUARTO DO HOTEL NACIONAL, ONDE SE refugiara, Ana registra, por sua vez, pensando em passar depois a limpo, em seu micro, aquilo que presenciou. Está de ressaca ou fossa. (Por isso ponho aqui o ritmo suave da bossa nova.)

Logo mais ela abre a cortina e a janela. Um vento suave acaricia seu rosto. O céu, imenso, com sol amarelo, olha-a severo. Cruzando-o, o avião — pequeno, silencioso — aumenta sua solidão.

O azul abraça a cidade branca, onde os tanques, ao menos momentaneamente, restabeleceram a ordem.

"A ordem uma ova!", Ana pensa. (Mas, se posso, a consolo logo com as frouxas, fáceis e dóceis notas desta bossa nova.)

Até as almas o sol acalenta. As árvores se esverdeiam. O barro vermelho ainda brilha. Numa bandeja chapada, expõe os galhos, as folhas... e o choro do mundo escorrendo pelos rios.

Ana se despe de seu vestido rodado e florido, que comprara em Paris. Cheira-o, procurando o cheiro de Paulo Antônio. Os fios puxados de suas meias pretas riscam suas coxas de branco. Ela dispõe o vestido sobre a cama, deitando sobre ele o véu com que cobrira a cabeça. Desveste as meias e dobra-as com cuidado sobre o véu. Depois tira a calcinha e a põe junto. Dobra aquelas roupas e beija-as com carinho. A elas pretende juntar até a calcinha de seda preta, de frente transparente na delicada renda, que vestira de tarde, quando fora ver Paulo Antônio no Palácio. Pensa em todas estas vestes como relíquias daquele carnaval. Sorri, tristemente, enquanto uma lágrima desce por seu rosto.

Acende um cigarro e se deita nua sobre a cama, pensando que não importava a história, o mundo, o Brasil; nada mudava as essências da alma e da natureza. Agora ela sabia que desejava estar com Paulinho. Percebia que, em todos os lugares, ela redescobria sempre o mesmo lugar. Toda água era a mesma que bebera no primeiro dia. E a água que bebera no primeiro dia, permanentemente mudando de gosto, tinha gosto de água e gosto de primeiro dia. E assim ela voltava a Paulinho, a imagem de todos os primeiros.

Levanta-se e olha o horizonte, sem se aproximar muito da janela, para não ser vista. A brisa a excita e, como à noite, quando estivera com Paulinho, seus mamilos crescem, enrijecidos, enquanto ela sente calafrios. *Oh, quisera não ser tão voluptuosa!*

O espírito de Paulo Antônio, trazido pela brisa, penetra-a pelo canal das emoções, fazendo-a tremer de prazer ou, quem sabe, de felicidade. Ela quase tem um troço quando ele quer que ela goze. Ardendo de desejo e acariciando levemente os pêlos, entre as coxas, se molha toda. (Enquanto Ana goza, toca, morna, esta bossa nova.)

Ela tenta em vão se consolar com a idéia de que Paulinho só fora possível por ser impossível. E mais: que não amara o Paulinho que conseguia entender, mas, ao ,contrário, aquele incompreensível, inexplicável... Esquecesse o lago, aquele perfil de cidade, os horizontes profundos que via pela janela podiam ser de Taímbé.

O mais importante era que agora, após a perda, ela tinha a certeza de que sempre o amara. Não apenas o amara, mas também o amaria eternamente, talvez porque só se tem para sempre o que não é mais possível perder, por já ser inalcançável.

É assim que Ana declara amor eterno ao permanente enigma. E Paulo Antônio corresponde, lá da eternidade.

Posfácio

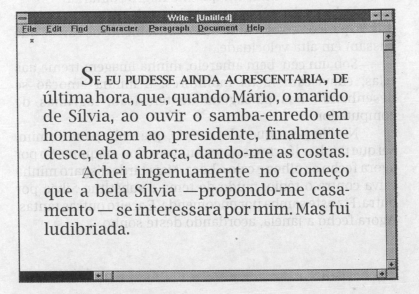

SE EU PUDESSE AINDA ACRESCENTARIA, DE última hora, que, quando Mário, o marido de Sílvia, ao ouvir o samba-enredo em homenagem ao presidente, finalmente desce, ela o abraça, dando-me as costas. Achei ingenuamente no começo que a bela Sílvia —propondo-me casamento — se interessara por mim. Mas fui ludibriada.

Na realidade, só me procurara para ressuscitar seu amor perdido e satisfazer um último desejo. E assim mesmo porque, para isso, Íris não tinha poderes. Confirmo, enfim, os limites de minha relação possível com um espírito.

Voltando-se para mim, uma última vez, ela me apresenta formalmente, mas em silêncio, ao personagem incendiário que rasgava papéis no começo e que, mais tarde, me aprontara atentados.

Reajo com indiferença, pois não guardo mágoas.

Depois os dois, todos os demais fantasmas e, quem sabe, até Deus, afinal são todos brasileiros, voltam a cantar e dançar, embora eu já quase não os distinga contra a luz. Nem faço questão de vê-los, pois tudo já foi dito.

Deixando um rastro, eles se vão, pulando no cordão, diminuindo à medida que somem no infinito.

Quando eles partem, em pleno claro, persiste o mistério de sombras e reflexos, em que me flagro solitária.

Debruçada sobre a janela larga de um apartamento que dá para os eixos, conto automaticamente os carros que passam em alta velocidade.

Sob um céu bem amarelo, minha imagem treme nas telas; chuviscam meus monitores. É minha emoção se desenhando nas paisagens de televisão, lágrimas de computador.

Não lhe peço, querido usuário, que tenha pena de mim. Sei que minhas lágrimas não comovem. Sou máquina. Só por agora fecho os olhos e calo a boca. Mais tarde disparo minha raiva contra o tédio, mudo de tema e substituo Sílvia por outra. Fiz este samba por encomenda. E aceito outras tantas. Agora fecho a janela, acordando deste sonho.

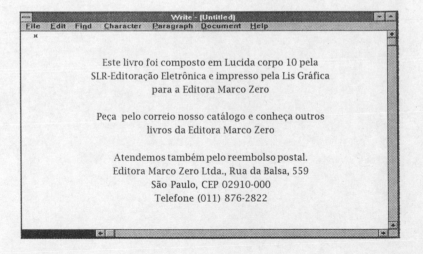

Este livro foi composto em Lucida corpo 10 pela
SLR-Editoração Eletrônica e impresso pela Lis Gráfica
para a Editora Marco Zero

Peça pelo correio nosso catálogo e conheça outros
livros da Editora Marco Zero

Atendemos também pelo reembolso postal.
Editora Marco Zero Ltda., Rua da Balsa, 559
São Paulo, CEP 02910-000
Telefone (011) 876-2822